Fünf Freunde
auf neuen Abenteuern

Fünf Freunde auf neuen Abenteuern

Eine spannende Geschichte für Jungen und Mädchen

von Enid Blyton

BERTELSMANN JUGENDBUCHVERLAG

Englischer Originaltitel:
Five go adventuring again
Deutsche Bearbeitung: Dr. Werner Lincke

Die englische Originalausgabe
erschien bei Hodder & Stoughton, London
Einband von Nikolaus Plump
Innenillustrationen von Eileen A. Soper
Gesamtherstellung Mohndruck Reinhard Mohn OHG, Gütersloh
Printed in Germany · Buch Nr. 3312

I

Weihnachtsferien

Die letzte Schulwoche war herangekommen, und alle Mädchen der Elisabethenschule freuten sich schon auf die Weihnachtsferien. Anne setzte sich an den Frühstückstisch und nahm einen an sie gerichteten Brief zur Hand.

»Na, sieh mal her«, sagte sie zu ihrer Kusine Georgina, die neben ihr saß. »Ein Brief von Vati – und ich hatte doch erst gestern einen von Mutti und ihm.«

»Hoffentlich sind es keine schlechten Nachrichten«, sagte Georg. Das Mädchen erlaubte es niemandem, sie Georgina zu rufen, und jetzt nannten sie sogar die Lehrerinnen schon Georg. Sie wirkte auch wirklich wie ein Junge, mit ihrem kurzen, lockigen Haar und ihrem jungenhaften Benehmen. Ängstlich beobachtete sie Anne beim Lesen des Briefes.

»Ach, Georg – wir können in den Ferien nicht nach Hause fahren«, sagte Anne mit Tränen in den Augen. »Mutti hat Scharlach, und Vati muß sich aus diesem Grund in seinen Räumen aufhalten. Deshalb können sie uns nicht im Hause haben. Ist das nicht schrecklich?«

»Das tut mir aber wirklich leid«, sagte Georg. Sie war genauso enttäuscht wie Anne, denn Annes Mutter hatte Georg und ihren Hund Tim eingeladen, die Weihnachtsferien bei ihnen zu verbringen. Viele Dinge waren ihr versprochen worden, die sie niemals zuvor gesehen hatte – ein Weihnachtsspiel, der Besuch eines Zirkus', ein Familienfest unter einem schönen Weihnachtsbaum. Nun sollte aus allem nichts werden.

»Was werden nur die beiden Jungen sagen?« meinte Anne, die an ihre Brüder Julius und Richard dachte.

»Sag, was willst du denn nun in den Ferien machen?« fragte Georg. »Hast du Lust, zu mir zu kommen und im ›Felsenhaus‹ zu bleiben? Meine Mutter wird sich bestimmt freuen, dich wieder bei uns zu haben. Wir hatten doch so viel Spaß, als du in den Sommerferien bei uns warst.«

»Einen Augenblick, Georg – laß mich erst den Brief zu Ende lesen und sehen, was Vati meint«, sagte Anne und nahm den Brief wieder zur Hand. »Arme Mutti – ich hoffe, daß sie sich nicht zu schlecht fühlt.«

Sie las weiter und stieß dann einen Freudenschrei aus. Georg und die anderen Mädchen warteten vor Ungeduld zappelnd auf den Grund ihres Jubels.

»Georg! Wir sollen wieder zu dir kommen, aber – o Graus! – wir bekommen einen Hauslehrer für die Ferien, teils, damit jemand da ist, der auf uns aufpaßt, und deine Mutter entlastet ist, teils, weil Julius und Richard im Herbst zweimal Grippe hatten und mit ihren Schulleistungen zurückgeblieben sind.«

»Einen Hauslehrer! – Das ist ja zum Krankwerden! Das bedeutet natürlich, daß auch ich Stunden bekommen soll«, sagte Georg bestürzt. »Wenn meine Eltern mein Zeugnis sehen, heißt es büffeln. Ich bin ja schließlich auch das erstemal in einer richtigen Schule. Ist es da ein Wunder, wenn ich noch nicht so richtig mitkomme?«

»Das werden wirklich scheußliche Ferien werden, wenn dauernd ein Hauslehrer hinter uns herläuft«, meinte auch Anne trübsinnig. »Mein Zeugnis wird zwar ganz gut ausfallen, aber es wird mir keinen Spaß machen, wenn ihr drei dann in den Ferien lernen müßt. Ich könnte allerdings mit Tim losgehen, nicht wahr? Er wird doch kaum Unterricht nehmen müssen.«

»Doch«, sagte Georg sofort. Denn sie konnte den

Gedanken nicht ertragen, daß ihr geliebter Hund Tim jeden Morgen mit Anne auf und davon gehen sollte, während sie, Georg, mit Julius und Richard beim Lernen schwitzen müßte.

»Sei nicht so dumm, Georg, Tim kann doch keinen Unterricht bekommen«, entgegnete Anne.

»Aber er kann zu meinen Füßen sitzen, während ich büffle«, sagte Georg. »Es wird mir guttun, wenn ich ihn bei mir weiß. – Um Himmels willen, Anne, iß doch deine Würstchen endlich auf! Wir sind fast alle fertig. Es kann jede Minute klingeln, und du hast noch keinen Bissen gegessen.«

Anne sagte nur: »Ich bin so froh, daß Mutti nicht schwerkrank ist« und las den Brief eilig zu Ende. »Vati sagt, er habe auch an Richard und Julius geschrieben – und an deinen Vater, ob er keinen Hauslehrer für uns wisse. Du liebe Güte! Das ist eine gräßliche Enttäuschung, nicht wahr? Georg, du mußt mich richtig verstehen, ich freue mich natürlich sehr auf das ›Felsenhaus‹ und auf das Wiedersehen mit der Felseninsel – aber dort gibt es eben keine schöne Weihnachtsspiele, keinen tollen Zirkus und keine großen Familienfeste, auf die man sich freuen kann.«

Das Ende der Schulzeit rückte schnell heran. Anne und Georg packten ihre Koffer, klebten die Gepäckzettel mit ihren Aufschriften darauf und genossen den Lärm und die Aufregung der beiden letzten Tage. Die großen Schulomnibusse fuhren vor, und die Mädchen kletterten hinein.

»Auf nach dem Felsenhaus«, sagte Anne. »Komm her, Tim, alter Freund, du darfst zwischen Georg und mir sitzen.«

Die Elisabethenschule erlaubte jeder Schülerin, ein Tier zu halten, und Tim, Georgs großer Hund, hatte sich wirklich gut benommen. Bis auf das eine Mal, als er hinter dem Müllfuhrmann herlief, ihm den Müllkasten wegschnappte und das schwere Ding den ganzen Weg bis zur Schule und in Georgs Klassenzimmer schleppte.

»Du hast sicher ein gutes Zeugnis, Tim«, sagte Georg und drückte das Tier an sich. »Jetzt geht es wieder nach Hause. – Freust du dich?«

»Wuff«, sagte Tim mit seiner tiefen Stimme. Er stand auf, wedelte mit dem Schwanz, und – plötzlich hörten sie einen unterdrückten Schrei hinter sich.

»Georg! Sag Tim, daß er sich hinsetzen soll! Er wedelt mir sonst den Hut vom Kopf«, ließ sich eine Stimme vernehmen.

Es dauerte nicht lange, bis die Mädchen mit Tim in ihrer Heimatstadt angekommen waren und im Zug nach der Station saßen, in deren Nähe das Felsenhaus lag.

»Ob wohl die Jungen auch heute mit der Schule aufgehört haben?« fragte Anne. »Dann hätten wir ja alle zusammen nach dem Felsenhaus fahren können. Das wäre ein Spaß gewesen!«

Aber Julius' und Richards Ferien hatten noch nicht angefangen. Die beiden sollten sich erst am nächsten Tag mit den Mädchen im Felsenhaus treffen. Anne freute sich sehr auf das Wiedersehen nach den langen Schulwochen. Aber sie freute sich auch, daß sie mit Georg, ihrer Kusine, zusammen sein konnte. Alle drei hatten die Sommerferien in Georgs Heim zugebracht und einige aufregende Abenteuer auf der kleinen Insel in der Nähe des Strandes erlebt. Auf der Insel stand ein Schloß, in dessen Verlies die Kinder unwahrscheinliche Entdeckungen gemacht hatten.

»Das wird fein, wenn wir wieder zur Felseninsel hinüberfahren«, sagte Anne, während der Zug westwärts sauste.

»Das wird wohl nicht möglich sein«, sagte Georg. »Die See um die Insel ist im Winter sehr rauh. Das Rudern in dem Felsengewirr wäre zu gefährlich.«

»Ach, wie schade«, sagte Anne enttäuscht. »Ich habe mich schon auf weitere Abenteuer dort gefreut.«

»Im Winter gibt es keine Abenteuer bei uns«, sagte Georg. »Es ist kalt da unten – und manchmal werden wir sogar eingeschneit – dann können wir noch nicht einmal ins Dorf hinuntergehen, weil der Seewind die Schneewehen so hoch auftürmt.«

»Uuuuh – das hört sich aber gruselig an«, sagte Anne.

»Na, das ist wirklich nichts Besonderes«, meinte Georg. »Es ist nur furchtbar langweilig, nichts tun zu können, den ganzen Tag in der Stube zu sitzen oder Schnee wegzuschippen.«

Den Mädchen dauerte es in ihrer Ungeduld viel zu lange, bis der Zug die Station erreichte. Aber schließlich war es soweit, er dampfte langsam in den Bahnhof ein und hielt an dem winzigen Bahnsteig. Die beiden Mädchen sprangen hurtig hinaus und sahen sich um, ob jemand erschienen war, sie abzuholen. Ja – dort stand Georgs Mutter.

»Hallo, Georg, mein Liebling! Guten Tag, Anne«, sagte sie und umarmte die beiden Kinder. »Anne, es tut mir leid, daß deine Mutter krank ist. Aber du kannst beruhigt sein, es ist weiter nichts Schlimmes.«

»Oh, gut!« sagte Anne erleichtert. »Es ist nett von dir, Tante Fanny, daß du uns bei dir aufnehmen willst. Wir wollen auch sehr artig sein. Aber was sagt Onkel Quentin? Wird es ihn nicht zu sehr stören, wenn im Winter vier Kinder im Hause sind? Wir werden ihm doch nicht so gut wie im Sommer aus dem Wege gehen können.«

Georgs Vater war Gelehrter. Er hatte wenig Geduld mit Kindern, und in den Sommerferien hatten die vier Kinder manchmal Angst vor ihm gehabt.

»Ja, Onkel Quentin arbeitet noch immer angestrengt an seinem Buch«, sagte Tante Fanny. »Weißt du, er hat eine geheime Theorie, eine neue Idee ausgearbeitet und seine Gedanken in dem Buch niedergelegt. Sowie er damit zum Abschluß gekommen ist, will er alles einer Regierungsstelle vorlegen, damit seine Arbeit zum Wohle des Landes ausgewertet wird.«

»Oh, Tante Fanny – das klingt aber sehr spannend«, sagte Anne. »Was ist das für eine geheime Theorie?«

»Das kann ich dir nicht sagen, du Dummes«, sagte die Tante lachend. »Ich kenne sie ja selbst nicht. – Kommt jetzt herein, es ist kalt hier draußen. Tim sieht ja ganz wohlgenährt aus, Georg.«

»Ach, Mutti, ihm ist es auch sehr gut ergangen, und er hat sich prächtig unterhalten«, sagte Georg. »Wirklich. – Er hat der alten Köchin die Pantoffeln zernagt ...«

»Und hat die Katze jedesmal, wenn sie sich im Stall blicken ließ, verjagt ...«, rief Anne.

»Und einmal gelang es ihm, sich in die Speisekammer zu schleichen und eine ganze Portion Fleisch aufzufressen«, ergänzte Georg, »und einmal ...«

»Ach, du liebe Güte, Georg, ich glaube fast, die Schule wird es im nächsten Sommer ablehnen, daß du Tim wieder mitbringst«, sagte ihre Mutter voll Entsetzen. »Er wurde doch hoffentlich gehörig bestraft?«

»N-nein-n«, sagte Georg kleinlaut und wurde rot. »Weißt du, Mutti – es verhält sich folgendermaßen: Wir sind verantwortlich für unsere Tiere und ihr Benehmen. Wenn Tim etwas anstellt, dann werde *ich* dafür bestraft, weil ich nicht genügend auf ihn aufgepaßt habe.«

»Na, dann mußt du ja eine Reihe von Strafen hinter dir haben«, sagte ihre Mutter, während sie den kleinen Pferdewagen die vereiste Straße entlang lenkte. »Ich halte das für eine ausgezeichnete Idee.« Der Schalk schaute ihr aus den Augen, als sie dies sagte: »Ich werde das auch hier einführen.«

Die Mädel lachten. Sie waren glücklich und aufgeregt. Wie schön war es, ins Felsenhaus zurückzukehren. Morgen würden die Jungen kommen und dann – Weihnachten!

»Gutes, altes Felsenhaus«, sagte Anne, als sie das hübsche Heim ihrer Tante erblickte. »Oh – sieh, dort ist die Felseninsel!« Die beiden schauten aufs Meer hinaus, aus dem die kleine Insel mit dem alten, zerfallenen Schloß herausragte, und beide dachten sehnsüchtig an die Abenteuer und Erlebnisse des vergangenen Sommers.

Die Mädchen gingen ins Haus. »Quentin!« rief Georgs Mutter. »Quentin! Die Mädel sind angekommen!«

Onkel Quentin kam aus dem auf der anderen Seite des Felsenhauses gelegenen Studierzimmer heraus. Auf Anne wirkte er noch größer und finsterer als früher. Onkel Quentin mochte sehr gescheit sein, aber Anne zog jemanden, der fröhlich war und lächeln konnte – wie ihr Vater, zum Beispiel –, einem mürrischen Mann vor. Sie gab Onkel Quentin höflich die Hand und sah zu, wie Georg ihm einen Kuß gab.

»Nun«, begann Onkel Quentin. »Ich habe einen Hauslehrer für euch, wenigstens für die Jungen. Ich wünsche, daß ihr euch ihm gegenüber gut benehmt.«

Das klang nicht sehr verheißungsvoll in Annes und Georgs Ohren, und beide atmeten erleichtert auf, als sich Onkel Quentin wieder in sein Studierzimmer zurückgezogen hatte.

»Dein Vater hat in letzter Zeit zuviel gearbeitet«,

sagte Georgs Mutter. »Er ist übermüdet. Gott sei Dank – seine Arbeit ist jetzt nahezu beendet. Er hoffte, das Buch bis Weihnachten fertig zu haben, so daß er allen Spaß hätte mitmachen und sich etwas um euch hätte kümmern können – aber gestern erklärte er, daß es doch nicht möglich ist.«

»Wie schade«, sagte Anne höflich. Insgeheim aber dachte sie, daß es so viel besser sei. Mit Onkel Quentin würde es beim Spielen bestimmt nicht so lustig zugehen. »Oh, Tante Fanny«, fuhr sie fort, »ich kann es kaum abwarten, bis Julius und Richard hier sind, und sie werden sich sicher ebenso auf Tim und Georg freuen, meinst du nicht auch? – Tante Fanny, niemand in der Schule nennt Georg ›Georgina‹, nicht einmal unsere Klassenlehrerin. Ich hoffte immer, es würde sie einer einmal so anreden, denn ich hätte zu gern erlebt, was geschehen wäre, wenn Georg auf ›Georgina‹ nicht geantwortet hätte. – Sag, Georg, dir hat es in unserer Schule doch gefallen?«

»Ja«, antwortete Georg, »es war schön. Zunächst glaubte ich, es mit so vielen Mädchen zusammen nicht aushalten zu können, aber jetzt macht es mir doch Spaß. Nur, Mutti, fürchte ich, daß mein Zeugnis nicht sehr gut ausgefallen ist. In vielen Fächern bin ich schlecht, weil ich sie noch nie gehabt habe.«

»Mach dir deswegen keine Sorgen«, sagte ihre Mutter. »Ich werde es Vater schon erklären, falls er sich darüber aufregen sollte. Beeilt euch jetzt und macht euch zum Kaffee fertig. Ihr werdet sicher beide sehr hungrig sein.«

Die Mädchen gingen nach oben in ihr kleines Zimmer. »Ich bin ja so froh, daß ich in den Ferien nicht allein bin«, sagte Georg. »Es ist viel lustiger, seit ich dich und deine Brüder kenne. – He, Tim, wo steckst du denn?«

»Er ist verschwunden und schnuppert im ganzen Haus herum, um sich zu vergewissern, daß es auch sein richtiges Zuhause ist«, sagte Anne lachend. »Er will wissen, ob die Küche noch genauso riecht – und das Badezimmer – und sein Korb. Der Ferienbeginn ist für ihn sicherlich genauso aufregend wie für uns.«

Anne hatte recht. Tim freute sich riesig, wieder zu Hause zu sein. Er rannte um Tante Fanny herum, beschnüffelte freundschaftlich ihre Beine und war einfach froh, sie wiederzusehen. Er lief in die Küche, kam aber bald wieder heraus, weil er dort jemand ganz Fremdes antraf – Johanna, die Köchin –, eine dicke, kurzatmige Person, die ihn mißtrauisch beäugte.

»Einmal am Tag darfst du in die Küche kommen und dir dein Fressen holen«, sagte sie. »Und dann ist Schluß. Ich habe es nicht gern, wenn Fleisch, Würstchen und Hühner vor meiner Nase verschwinden. Ich weiß, wie Hunde sind – und werde auf der Hut sein.«

Tim rannte in die Spülküche und schnüffelte auch dort überall herum. Dann lief er ins Eß- und ins Wohnzimmer und war höchst befriedigt, daß dort alles noch genauso wie früher roch. Er legte seine Schnauze an die Studierzimmertür, hinter der Onkel Quentin arbeitete, und schnüffelte sehr vorsichtig. Er wollte durchaus nicht hineingehen, o nein! Tim nahm sich vor Georgs Vater genauso in acht wie die anderen.

Er lief wieder nach oben in das Schlafzimmer der beiden Mädchen. Wo war nur sein Korb? – Ah, da, an der Fensterecke. Fein! Das bedeutete, daß er wieder mit den Mädchen zusammen im Schlafzimmer schlafen durfte. Er rollte sich in seinem Korb zusammen und klopfte laut mit dem Schwanz auf den Boden.

›Ich bin so froh, daß ich wieder hier bin‹, schien dies Klopfen besagen zu wollen, ›ja, – so – froh – so – froh –.‹

II

Ein fröhliches Wiedersehen

Am nächsten Morgen wurden die Jungen erwartet. Anne, Georg und Tim gingen sie abholen. Georg lenkte den Pferdewagen, und Tim saß neben ihr. Anne konnte es kaum erwarten, bis der Zug im Bahnhof hielt. Sie lief den Bahnsteig entlang und suchte die Wagen nach Julius und Richard ab. Dann entdeckte sie die beiden. Sie schauten aus dem Fenster eines Wagens am Ende des Zuges und winkten und riefen.

»Anne! Hier sind wir! Endlich! Guten Tag, Georg. Sieh mal an, ihr habt ja auch Tim mitgebracht!«

»Julius – Richard –!« rief Anne jubelnd. Tim bellte und sprang aufgeregt umher.

»Oh, Julius! Es ist einfach herrlich, euch wiederzusehen!« schrie Anne und umarmte ihre beiden Brüder. Tim sprang an ihnen hoch und leckte sie herzlich. Er war ganz außer sich vor Freude.

Die drei Geschwister und der Hund standen glückstrahlend zusammen und sprachen alle zur gleichen Zeit aufeinander ein, während ein Gepäckträger die Koffer aus dem Zug hob. Plötzlich erinnerte sich Anne Georgs. Sie sah sich nach dem Mädchen um. Aber Georg war nirgends zu sehen, obwohl sie mit Anne zusammen auf den Bahnsteig gekommen war.

»Wo ist denn unser alter Georg?« fragte Julius. »Ich sah sie doch hier, als ich aus dem Zug winkte.«

»Sie ist sicher zum Pferdewagen zurückgegangen«, sagte Anne. »Sag dem Gepäckträger, er soll die Koffer zum Wagen bringen, Julius. Kommt, wir wollen Georg suchen!«

Georg stand neben dem Wagen und streichelte dem

Pony den Kopf. ›Sie sieht so traurig aus‹, dachte Anne. Die Jungen gingen auf sie zu.

»Hallo, Georg! Alte Tüte!« schrie Julius und drückte sie an sich. Richard tat dasselbe.

»Was ist los?« fragte Anne, die sich über Georgs plötzliches Schweigen wunderte.

»Ich glaube, Georg fühlt sich benachteiligt«, sagte Julius grinsend. »Komische alte Georgina.«

»Nenn mich nicht Georgina!« sagte das kleine Mädchen zornig. Die Jungen lachten.

»So ist's richtig! Immer noch der alte, grimmige Georg«, sagte Richard und gab ihr einen freundschaftlichen Klaps auf die Schulter. »Ach, Georg, es ist einfach großartig, dich wiederzusehen! Erinnerst du dich noch unserer phantastischen Abenteuer im Sommer?!«

Georg wurde allmählich etwas munterer und zugänglicher. Sie hatte sich tatsächlich ausgeschlossen gefühlt, als sie das herzliche Willkommen sah, das die beiden Jungen ihrer kleinen Schwester bereiteten – aber niemand konnte lange auf Julius und Richard böse sein. Sie sorgten schon dafür, daß sich in ihrer Nähe niemand einsam oder überflüssig vorkam.

Die vier Kinder kletterten auf den Wagen. Der Gepäckträger hob die Koffer in das Gefährt. Der Platz reichte gerade für alle. Tim saß oben auf dem Gepäck, wedelte mit dem Schwanz, ließ die Zunge heraushängen und keuchte vor Freude und Erregung.

»Ihr Mädel habt doch unverschämtes Glück, daß ihr Tim ins Internat mitnehmen dürft«, sagte Richard und tätschelte liebevoll den großen Hund. »In unsere Schule darf man keine Tiere mitbringen. Das ist bitter – besonders wenn man so tierliebend ist wie Julius und ich.«

»Thomas Klein hielt sich weiße Mäuse«, erzählte Julius. »Aber eines Tages rissen sie aus, huschten über den

Gang, gerade als die Vorsteherin des Internats vorbeikam. Sie hat vor Schreck so laut geschrien, daß beinahe das ganze Haus zusammenfiel.«

Die Mädchen lachten. Die Jungen wußten immer so lustige Geschichten zu erzählen, wenn sie nach Hause kamen.

»Und Konrad hatte Schnecken«, sagte Richard. »Ihr wißt ja, daß die Schnecken im Winter schlafen – aber Konrad hatte sie an einen viel zu warmen Platz gestellt. Sie krochen alle aus der Schachtel und kletterten die Wände hoch. Ihr hättet das Gelächter hören sollen, als unser Erdkundelehrer Thomas fragte, wo Kapstadt läge – und eine Schnecke hatte es sich ausgerechnet auf diesem Punkt der Landkarte bequem gemacht!«

Alle lachten wieder. Ach, wie schön war es doch, endlich wieder zusammen zu sein. Sie waren ungefähr gleichaltrig – Julius war zwölf, Georg und Richard elf und Anne zehn Jahre alt. Die Ferien und Weihnachten lagen vor ihnen. Kein Wunder, daß sie über alles, auch über den dümmsten Witz, begeistert lachten!

»Fein, daß es unserer Mutti wieder besser geht, nicht?« sagte Richard, während das Pony die Straße entlangtrottete. »Ich gebe offen zu, daß ich sehr enttäuscht war, weil wir nicht nach Hause kommen konnten. Ich hätte mir so gern das Märchenspiel von ›Aladin und die Wunderlampe‹ und auch den Zirkus angesehen. Aber es ist auch sehr schön, wieder im Felsenhaus zu sein. Ich wünschte nur, wir könnten noch mehr so spannende Abenteuer erleben wie im Sommer. Ich fürchte allerdings, daß dazu diesmal nicht viel Gelegenheit sein wird.«

»Die Ferien haben nur *einen* Haken«, meinte Julius, »und das ist der Hauslehrer.« »Ja«, sagte Anne. »Ich bin gespannt, was das für ein Mensch ist. Hoffentlich versteht er auch Spaß.« Julius und Richard verzogen die Gesichter. Sie waren davon überzeugt, daß jeder Hauslehrer, der von Onkel Quentin ausgesucht wurde, alles andere als ein »feiner Kerl« war. Nur ein strenger, trübsinniger Pauker würde Onkel Quentins Vorstellungen von einem Hauslehrer entsprechen.

Nun, wenn schon! Zunächst hatten sie noch ein bis zwei Tage Galgenfrist. Die Jungen faßten wieder Mut und kraulten Tims Fell. Der hatte es gut – der brauchte sich keine Gedanken um Hauslehrer und Zeugnisse zu machen. Ach – glücklicher Tim!

Unter solchen Gesprächen und Betrachtungen kamen sie am Felsenhaus an. Die Jungen freuten sich sehr, ihre Tante wiederzusehen, und waren erleichtert, als sie hörten, daß Onkel Quentin nicht zu Hause sei. »Er ist fortgegangen, um sich die zwei oder drei Lehrer anzusehen, die sich auf seine Anzeige hin gemeldet haben«, erklärte sie. »Er wird wohl bald zurück sein.«

»Mutti, ich brauche doch keinen Unterricht zu nehmen, nicht wahr?« fragte Georg. Bisher war ihr noch nichts darüber mitgeteilt worden, und sie wollte über diesen Punkt Klarheit haben.

»Oh, doch, Georg«, sagte die Mutter. »Dein Vater hat dein Zeugnis gesehen. Obwohl es nicht gerade schlecht ist und wir keine hervorragenden Noten erwarteten, zeigt es sich doch, daß du in manchen Fächern hinter deinem Alter zurück bist. Ein paar Privatstunden werden dir guttun.«

Georgs Gesicht verdüsterte sich. »Anne ist die einzige, die keine Nachhilfestunden braucht«, sagte sie bitter.

»Ich werde auch arbeiten«, versprach Anne. »Vielleicht nicht immer, Georg – wenn es draußen schön ist, zum Beispiel –, aber meistens, um dir Gesellschaft zu leisten.«

»Danke«, sagte Georg kurz. »Aber das brauchst du nicht zu tun. Ich werde jedenfalls Tim bei mir behalten.«

Georgs Mutter äußerte Zweifel und Bedenken. »Na, wir werden erst mal sehen, wie der Lehrer darüber denkt«, sagte sie schließlich.

»Mutter! Wenn er sagt, daß ich Tim nicht im Zimmer behalten darf, werde ich einfach nicht mitarbeiten!«

Ihre Mutter lachte. »Na, na, jetzt bist du wieder unser wilder, hitziger Georg«, sagte sie, und dann: »Julius, Richard, geht jetzt und wascht eure Hände. Und kämmt euer Haar! Ihr habt anscheinend den ganzen Schmutz der Eisenbahn mitgeschleppt.«

Die Mädchen und Tim gingen mit nach oben. Es machte soviel Spaß, wieder zu fünft beisammen zu sein. –

Tim zählte als einer der Ihren. Er begleitete sie überall hin und schien tatsächlich jedes Wort zu verstehen, das sie sagten.

»Ich bin jetzt wirklich gespannt, was für einen komischen Hauslehrer Onkel Quentin für uns aussuchen wird«, fing Richard wieder an, während er sich die Nägel schrubbte. »Wenn er nur den richtigen findet – einen, der lustig ist und voller Unsinn steckt und der weiß, daß Nachhilfestunden in den Ferien scheußlich sind – und der versucht, das wettzumachen, indem er außerhalb des Unterrichts ein prima Kerl ist. Ich fürchte, wir müssen jeden Morgen lernen.«

»Beeil dich, Richard, ich will Kaffee trinken«, unterbrach ihn Julius. »Auf! Komm endlich! Einzelheiten über das Ferienekel von Hauslehrer erfahren wir noch früh genug.«

Sie gingen gemeinsam hinunter und setzten sich an den Kaffeetisch. Die Köchin Johanna hatte einen ganzen

Berg Korinthenbrötchen und einen Riesenkuchen gebakken. Von beiden war nicht mehr viel übrig, als die Kinder vom Tisch aufstanden.

Onkel Quentin kehrte zurück, als sie gerade mit Kaffeetrinken fertig waren. Er schien mit sich selbst zufrieden zu sein. Er gab den beiden Jungen die Hand und fragte, ob es ihnen in der Schule gefallen habe.

»Hast du einen Hauslehrer für uns?« begann Anne, die merkte, daß die anderen vor Spannung schier platzten.

»O ja, ich habe einen«, sagte Onkel Quentin. Er setzte sich an den Tisch, und Tante Fanny schenkte ihm Kaffee ein. »Ich sprach mit drei Bewerbern und hätte mich beinahe schon für einen von ihnen entschieden, als in letzter Minute noch ein Mann hereinkam. Er sagte, er habe gerade erst die Anzeige gelesen und hoffe, daß es noch nicht zu spät sei.«

»Hast du ihn angenommen?« fragte Richard.

»Ja«, sagte Onkel Quentin. »Er machte auf mich einen sehr klugen, gewandten Eindruck. Er hatte sogar von mir und meiner Arbeit gehört. Außerdem hat er gute Empfehlungsbriefe.«

»Es ist nicht nötig, daß die Kinder alle Einzelheiten hören«, bemerkte Tante Fanny. »Na, jedenfalls – hast du ihn hergebeten?«

»Natürlich«, sagte Onkel Quentin. »Er ist viel älter als die anderen Bewerber – das waren ziemlich junge Burschen –, er machte einen sehr zuverlässigen Eindruck. Er wird dir bestimmt gefallen, Fanny. Er paßt gut hierher, und ich kann mich abends mit ihm unterhalten.«

Für die Kinder allerdings hörten sich diese Mitteilungen recht beunruhigend an. Onkel Quentin wandte sich ihnen lächelnd zu und sagte:

»Herr Roland wird euch gefallen. Er versteht, mit

Kindern umzugehen – er weiß, daß er energisch sein muß, und er wird dafür sorgen, daß ihr am Ende der Ferien mehr wißt als am Anfang.«

Das klang noch beunruhigender. Alle vier wünschten von ganzem Herzen, daß Tante Fanny – und nicht Onkel Quentin – den Hauslehrer ausgesucht hätte.

»Wann kommt er?« fragte Georg.

»Morgen«, antwortete ihr Vater. »Ihr könnt ihn von der Bahn abholen. Das wäre ein netter Willkomm für ihn.«

»Wir wollten eigentlich mit dem Omnibus wegfahren und ein paar Weihnachtseinkäufe machen«, wagte Julius einzuwenden, der Annes enttäuschtes Gesicht sah.

»Das geht nicht«, sagte Onkel Quentin kurz angebunden. »Es ist selbstverständlich, daß ihr ihn abholt. Ich habe es ihm bereits gesagt. Und denkt daran – alle vier! –, macht keinen Unsinn mit ihm. Tut also, was man von euch erwartet, und arbeitet tüchtig mit. Euer Vater gibt für diese Nachhilfestunden sehr viel Geld aus. Ich zahle ein Drittel, weil auch Georg daran teilnehmen wird – du mußt dich also tüchtig anstrengen, Georg.«

»Ich will's versuchen«, sagte Georg. »Wenn er nett ist, arbeite ich gern mit.«

»Das ist selbstverständlich – ob du ihn nett findest oder nicht!« sagte ihr Vater, und seine Stirn umwölkte sich. »Er kommt mit dem 10-Uhr-Zug. Seid pünktlich, bitte!«

»Hoffentlich ist er nicht allzu streng«, seufzte Richard am Abend, als alle fünf für eine Minute unter sich waren. »Die ganzen Ferien sind verpfuscht, wenn wir dauernd jemand um uns herum haben. – Hoffentlich verträgt er sich mit Tim.«

Georg warf den Kopf zurück. »Sich mit Tim vertragen?« fragte sie entrüstet. »Aber das ist doch selbstverständlich! Das geht doch gar nicht anders.«

»Du vergißt, daß dein Vater im vorigen Sommer Tim auch nicht besonders gern mochte«, sagte Richard. »*Ich* verstehe es ja auch nicht, wie man Tim nicht gern haben kann – aber, wie du weißt, gibt es Menschen, die Hunde nicht leiden können.«

»Wenn Herr Roland Tim nicht ausstehen kann, dann werde ich keinen einzigen Strich für ihn arbeiten«, erklärte Georg, »keinen einzigen Strich!«

»Jetzt ist sie wieder wild geworden«, sagte Richard lachend. »Aber – das kann ich euch verraten –, wenn Herr Roland es wagen sollte, gegen Tim ekelig zu sein, dann werden die Fetzen nur so fliegen! –«

III

Der neue Hauslehrer

Am nächsten Morgen schien die Sonne. Die Seenebel waren verschwunden, durch die der Himmel während der letzten beiden Tage verhängt war, und die Felseninsel stand klar und steil am Eingang der Felsenbucht. Die Kinder blickten sehnsüchtig nach dem verfallenen Schloß auf der Insel hinüber.

»Wenn wir nur zum Schloß hinüber könnten«, sagte Richard. »Georg, das Meer sieht doch ganz ruhig aus.«

»Aber bei der Insel ist es wild und aufgewühlt«, sagte Georg. »Das ist immer so in dieser Jahreszeit. Mutter würde uns bestimmt nicht gehen lassen.«

»Es ist eine wunderbare Insel, und sie gehört uns ganz allein«, sagte Anne. »Du hast gesagt, Georg, daß du sie für immer und ewig mit uns teilen wolltest, nicht wahr?«

»Ja«, antwortete Georg. »Und ich werde mein Versprechen halten – mit dem Burgverlies und all den anderen Dingen. – Kommt jetzt, wir müssen den Wagen herausholen und anspannen. Wenn wir die ganze Zeit hier stehen und zur Insel hinüberstarren, kommen wir sicher zu spät zum Bahnhof.«

Sie schirrten das Pony an und fuhren los. Die Felseninsel verschwand hinter den Klippen, als sie landeinwärts dem Bahnhof näher kamen.

»Hat alles Land hier herum einmal deiner Familie gehört?« fragte Julius.

»Ja – alles«, erwiderte Georg. »Jetzt ist nichts mehr in unserem Besitz – außer der Felseninsel, unserem eigenen Haus und dem Bauernhof dort drüben – dem Felsenhof.«

Sie deutete mit der Peitsche hinüber. Hinter der mit

Heidekraut bestandenen Dorfwiese entdeckten die Kinder ein schönes, altes Bauernhaus.

»Wer wohnt denn da?« fragte Julius.

»Nur ein alter Bauer mit seiner Frau«, gab Georg zur Antwort. »Beide waren immer sehr nett zu mir, als ich noch allein war. Wir können ja mal hinübergehen, wenn ihr Lust habt. Mutter sagt, daß sie nicht genug aus dem Hof herauswirtschaften, und so vermieten sie im Sommer einige Zimmer an Feriengäste. –«

»Horcht! – Der Zug muß schon im Tunnel sein, denn eben hat er gepfiffen«, sagte Julius plötzlich. »Um Himmels willen, jetzt aber schnell, Georg, sonst kommen wir zu spät!«

Unruhig sahen vier Kinder und Tim dem Zug nach, als er aus dem Tunnel kam und in den Bahnhof einfuhr. Das Pony trabte in kurzem Galopp dahin. Es konnte gerade noch klappen!

»Wer geht auf den Bahnsteig, um ihn abzuholen?« fragte Georg, als sie in die Bahnhofshalle einbogen. »Ich nicht – ich muß auf Tim und das Pony aufpassen.«

»Und ich will nicht«, erklärte Anne. »Ich möchte bei Georg bleiben.«

»Gut, dann werden *wir* eben gehen«, sagte Julius und faßte Richard am Arm. Der Zug fuhr gerade ein, als sie auf den Bahnsteig kamen.

Es stiegen nur wenige Fahrgäste aus. Eine Frau kletterte mit einem Korb mühsam aus dem Wagen. Ein junger Bursche sprang pfeifend heraus, das war der Sohn des Dorfbäckers. Ein alter Mann stolperte schwerfällig die Wagenstufen hinunter. Keiner von ihnen konnte der neue Lehrer sein.

Doch – ganz am Anfang des Zuges – stieg ein etwas komisch wirkender Mann aus. Er war klein und stämmig und trug einen Seemannsbart. Seine Augen waren von durchdringender Bläue und sein dichtes Haar von grauen Fäden durchzogen. Er blickte nach rechts und nach links und winkte dann dem Gepäckträger.

»Das muß Herr Roland sein«, sagte Julius zu Richard. »Komm, wir wollen ihn fragen.«

Die Jungen gingen auf den Mann mit dem Bart zu. Julius nahm höflich seine Mütze ab. »Entschuldigen Sie bitte, sind Sie vielleicht Herr Roland?« fragte er.

»Ja«, sagte der Mann. »Und ihr seid Julius und Richard – stimmt's?«

»Ja«, sagten die beiden gleichzeitig. »Wir haben den Pferdewagen für Ihr Gepäck mitgebracht.«

»Das ist fein«, sagte Herr Roland. Mit seinen hellen blauen Augen blickte er die Jungen lächelnd von oben bis unten an. Julius und Richard mochten ihn. Er schien verständig zu sein und Spaß zu verstehen.

»Sind die beiden anderen auch hier?« fragte Herr Roland, während er mit dem Gepäckträger den Bahnsteig entlang dem Ausgang zuschritt.

»Ja – Georg und Anne sind draußen beim Wagen«, antwortete Julius.

»Georg und Anne?« wiederholte der neue Hauslehrer verblüfft. »Ich dachte, die beiden anderen seien Mädchen! Ich wußte gar nicht, daß noch ein dritter Junge da ist.«

»Nein, nein – Georg ist ein Mädchen«, sagte Richard lachend. »Sie heißt eigentlich Georgina – –«

»Welch hübscher Name«, sagte Herr Roland.

»Georg ist anderer Meinung«, klärte ihn Julius auf. »Sie antwortet nicht, wenn sie ›Georgina‹ genannt wird. Nennen Sie sie lieber ›Georg‹, Herr Roland.«

»Ach nein, wirklich?« sagte Herr Roland kühl. Julius sah ihn schnell von der Seite an. ›*Doch* nicht so nett, wie er aussieht‹, dachte der Junge.

»Tim ist auch mitgekommen«, sagte nun Richard.

»Aha – ist Tim ein Junge oder ein Mädchen?« erkundigte sich der neue Hauslehrer vorsichtig.

»Ein Hund«, sagte Richard grinsend.

Herr Roland blickte überrascht auf. »Ein Hund?« fragte er. »Ich wußte gar nicht, daß ihr auch einen Hund im Hause habt. Euer Onkel hat mir davon nichts gesagt.«

»Können Sie Hunde nicht leiden?« fragte Julius erstaunt.

»Nein«, sagte Herr Roland kurz. »Aber ich darf wohl annehmen, daß er mich in Ruhe lassen wird. – Ah, da sind ja die beiden kleinen Mädchen. Wie geht es euch?«

Georg konnte es nicht ausstehen, »kleines Mädchen« genannt zu werden. Erstens wollte sie nicht, daß man sie mit »klein« anredete, und zweitens wollte sie eben immer ein Junge sein. Sie hielt Herrn Roland ihre Hand entgegen und sagte gar nichts. Anne lächelte ihn an, und Herr Roland dachte, daß sie wesentlich netter als die andere sei.

»Tim – gib Herrn Roland Pfötchen«, sagte Julius. Das war eines von Tims besten Kunststücken. Er konnte sehr schön Pfötchen geben. Herr Roland blickte auf den großen Hund herab, und der Hund blickte aufmerksam zu Herrn Roland auf.

Und dann drehte Tim – betont langsam und wohlüberlegt – Herrn Roland den Rücken zu und kletterte in den Pferdewagen. Sonst gab er immer jedem sofort Pfötchen, wenn es ihm befohlen wurde. Die Kinder schauten ihn voller Überraschung an.

»Tim – was fällt dir ein?« rief Richard. Aber Tim ließ die Ohren hängen und rührte sich nicht von der Stelle.

»Er hat nichts für Sie übrig«, sagte Georg und sah dabei Herrn Roland an, »das ist sehr merkwürdig. Aber – vielleicht mögen Sie Hunde nicht?«

»Ganz recht«, bestätigte Herr Roland. »Ich kann Hunde nicht leiden. Als Junge bin ich einmal von einem Hund gebissen worden, und seitdem habe ich eine verständliche Abneigung gegen Hunde. Aber ich glaube, Tim wird sich früher oder später schon an mich gewöhnen.«

Dann stiegen alle in den Pferdewagen. Es herrschte ein ziemliches Gedränge. Tim warf einen schrägen Blick auf Herrn Rolands Beine und zog wie zufällig die Lefzen hoch. Anne lachte.

»Tim benimmt sich sonderbar«, sagte sie und blickte dabei lächelnd zu dem neuen Lehrer auf. Dieser lächelte zurück. Er hatte blendendweiße, gepflegte Zähne. Seine Augen waren so blau wie die Georgs. Anne hatte ihn gern. Er scherzte mit Richard und Julius, während sie kutschierten, und auch die beiden Jungen hatten das Gefühl, daß Onkel Quentin vielleicht doch keine so schlechte Wahl getroffen hatte.

Nur Georg sagte keinen Ton. Sie merkte, daß der neue Lehrer Abneigung gegen Tim hatte, und sie wollte niemanden gern haben, der nicht auch sofort mit Tim Freundschaft schloß. ›Er ist ein kluger Hund‹, dachte sie. ›Er weiß, daß Herr Roland ihn nicht ausstehen kann, und deshalb gibt er nicht Pfötchen. *Ich* verstehe dich, mein guter, alter Tim. Ich würde auch niemandem die Hand geben, den ich nicht leiden kann.‹

Sie kamen im Felsenhaus an. Herr Roland bekam sein Zimmer angewiesen. Tante Fanny kam herunter und unterhielt sich mit den Kindern. »Nun, er macht einen sehr netten und lustigen Eindruck – warum aber trägt ein so junger Mann einen Bart?«

»Jung?« rief Julius. »Ich finde, daß er furchtbar alt ist. Er muß mindestens vierzig sein.«

Tante Fanny lachte. »Kommt er euch so alt vor?« fragte sie. »Na – jedenfalls – ob alt oder jung – ich glaube bestimmt, daß er sich mit euch vertragen wird.«

»Tante Fanny, wir werden doch nicht etwa schon vor Weihnachten Stunden haben, oder?« fragte Julius ängstlich.

»Aber selbstverständlich«, sagte Tante Fanny. »Es ist noch fast eine Woche bis Weihnachten – bildet euch nicht etwa ein, daß wir Herrn Roland zum Nichtstun herbestellt haben.«

Die Kinder stöhnten. »Wir wollten einige Weihnachtseinkäufe machen«, sagte Anne.

»Das könnt ihr nachmittags tun«, war die Antwort. »Ihr habt nur morgens Unterricht. Das wird keinem schaden.«

In diesem Augenblick kam der neue Hauslehrer die Treppe herunter, und Tante Fanny führte ihn zu Onkel Quentin. Sie schien sehr erfreut, als sie wieder zurückkam.

»Herr Roland wird deinem Onkel gute Gesellschaft leisten«, sagte sie zu Julius. »Sie werden, glaub' ich, gut miteinander auskommen. Herr Roland scheint sehr viel von der Arbeit deines Onkels zu verstehen.«

»Dann wollen wir hoffen, daß er die meiste Zeit mit ihm verbringt«, wünschte Georg inbrünstig und leise.

»Kommt, ich möchte spazierengehen«, sagte Richard. »Es ist so schön draußen. Heute morgen haben wir doch keinen Unterricht, nicht wahr, Tante Fanny?«

»Nein, nein«, sagte die Tante. »Erst morgen! Geht nur spazieren! Das Wetter wird nicht immer so schön sein wie heute.«

»Wollen wir zum Felsenhof hinübergehen?« schlug

Julius vor. »Er liegt so hübsch da drüben. Komm, Georg, zeig uns den Weg!«

»Das ist ein guter Gedanke«, sagte Georg. Sie pfiff Tim, der in großen Sätzen angesprungen kam. Alle fünf brachen auf, gingen die Landstraße entlang und bogen dann in den Weg ein, der über die Dorfwiese zu dem auf einem Hügel liegenden Bauernhof führte. Es war wundervoll, in der Dezembersonne dahinzuwandern.

Nach einem längeren Marsch über die Wiese erreichten die Kinder das Bauernhaus. Es war aus weißem Stein gebaut und ragte stolz und mächtig über den Hügel empor. Georg öffnete das Hoftor und betrat den Hof. Sie hielt Tim am Kragen fest, weil zwei Hofhunde in der Nähe umherliefen.

Jemand kam mit klappernden Schritten um die Scheunenecke herum. Es war ein alter Mann, den Georg mit großem Hallo begrüßte.

»Guten Tag, Herr Sanders. Wie geht es Ihnen?«

»Na, wenn das nicht Herr Georg ist – –«, sagte der Alte mit breitem Grinsen. Georg lachte ebenfalls. Sie hatte es zu gerne, wenn man sie mit »Herr« anstatt mit »Fräulein« anredete.

»Das sind meine Verwandten«, rief Georg laut. Dann wandte sie sich an die anderen. »Er ist nämlich schwerhörig«, erklärte sie. »Ihr müßt schreien, wenn er euch hören soll.«

»Ich heiße Julius«, rief dieser ganz laut, und die anderen nannten ebenfalls ihre Namen. Der Bauer strahlte übers ganze Gesicht. »Kommt herein und sagt meiner Frau guten Tag«, sagte er. »Sie wird sich sehr freuen, euch alle zu sehen. Wir haben Herrn Georg schon gekannt, als sie noch ein Baby war, und wir kannten auch schon ihre Mutter, als diese noch ein Baby war, und wir haben auch die Oma gekannt.«

»Dann müssen Sie aber sehr, sehr alt sein«, sagte Anne.

Der Bauer sah auf sie nieder und lächelte.

»So alt wie meine Zunge und ein bißchen älter als meine Zähne«, lachte er verschmitzt. »Kommt jetzt!«

Sie begaben sich alle zusammen in die große, warme Bauernküche, in der ein kleines, altes Frauchen geschäftig hin und her lief. Sie freute sich genauso wie ihr Mann über den Besuch der vier Kinder.

»Nun seht mal an«, sagte sie zur Begrüßung. »Ich habe dich ja seit Monaten nicht mehr gesehen, Georg. Ich habe gehört, daß du jetzt in eine richtige Schule gehst.«

»Ja«, sagte Georg, »aber in den Ferien bin ich zu Hause. – Macht es etwas aus, wenn ich Tim loslasse? Er ist wirklich sehr verträglich.«

»Laß ihn ruhig laufen«, sagte die alte Frau. »Er wird sich mit Benno und Rex auf dem Hof schon vergnügen. – Was möchtet ihr denn trinken? Heiße Milch? Kakao? Kaffee? Und gestern habe ich Mürbekuchen gebacken, die müßt ihr auch versuchen.«

»Diese Woche hat meine Frau viel zu tun«, erläuterte der alte Bauer. »Sie kocht und backt allerlei gute Dinge. Wir sind nämlich Weihnachten nicht allein.«

»Erwarten Sie Gäste?« fragte Georg überrascht. Denn sie wußte, daß die alten Leutchen niemals Kinder gehabt hatten. »Wer ist es denn? Jemand, den ich kenne?«

»Zwei Maler aus der Stadt«, sagte der Alte. »Sie schrieben hierher und fragten an, ob wir sie über Weihnachten für drei Wochen unterbringen könnten, sie wollten gut bezahlen. Deshalb ist meine Alte so fleißig wie eine Biene.«

»Werden sie richtige Bilder malen?« fragte Julius, der sich selbst für einen kleinen Maler hielt. »Ob ich wohl dann ab und zu vorbeikommen und mich mit ihnen unterhalten dürfte? Ich kann selber ganz gute Bilder malen! Vielleicht könnten sie mir einige Ratschläge geben.«

»Du kannst jederzeit kommen«, sagte Frau Sanders, während sie in einem großen Topf Kakao kochte. Dann richtete sie einen Teller voll köstlich aussehender Mürbekuchenstücke. Es dauerte nicht lange, und die Kinder saßen mit vollen Backen kauend am Tisch.

»Die beiden Maler werden sich hier ziemlich einsam fühlen – so weit draußen auf dem Lande«, meinte Georg. »Ob sie wohl hier jemanden kennen?«

»Nein«, erwiderte die Frau. »Sie schrieben bereits, daß sie hier keine Menschenseele kennen. Aber das ist nun mal so – Künstler sind sonderbare Leute. Ich habe schon einmal an Künstler vermietet. Ich glaube schon, daß die beiden sich hier wohlfühlen werden.«

»Etwas anderes ist auch gar nicht möglich«, warf der Alte dazwischen, »bei all den guten Dingen, die du für sie richtest. – Jetzt muß ich aber nach draußen und nach den Schafen sehen. Auf Wiedersehen miteinander! Kommt bald wieder und besucht uns.«

Der alte Bauer ging hinaus. Frau Sanders schwatzte weiter mit den Kindern und hantierte dabei eifrig hier und da. Tim kam auch herein und machte es sich auf der Matte vor dem Herd bequem.

Plötzlich sah er eine graue getigerte Katze an der Wand entlangschleichen. Sie fürchtete sich vor dem fremden Hund und machte vor Angst einen Riesenbuckel. Tim gab ein entzücktes »Wuff« von sich und sprang auf die Katze zu. Sie floh aus der Küche in die alte getäfelte Halle. Tim sauste ihr nach und dachte gar nicht daran, Georg, die ihn zurückhalten wollte, zu gehorchen.

Die Katze sprang auf die alte Großvater-Standuhr. Tim jagte mit fröhlichem Gebell hinter ihr her. Er warf sich gegen die polierte Wandtäfelung, und – da geschah etwas Unerwartetes! Die Täfelung verschwand, und in der alten Wand zeigte sich ein dunkles Loch. Georg, die Tim in die Halle gefolgt war, schrie vor Überraschung laut auf. »Seht nur! – Frau Sanders! – Kommt alle schnell her und schaut euch das bloß an!«

IV

Eine aufregende Entdeckung

Frau Sanders und die Kinder stürzten in die Halle, als sie Georgs aufgeregte Rufe vernahmen.

»Was ist los?« rief Julius. »Was ist geschehen?«

»Tim sprang nach der Katze, verfehlte sie und fiel gegen die getäfelte Wand«, berichtete Georg, die vor Erregung kaum sprechen konnte. »Da bewegte sich die Täfelung, und – sieh – da ist ein Loch in der Wand!«

»Das ist eine Geheimtür!« schrie Richard voller Begeisterung und spähte in das Loch. »Donnerwetter! – Frau Sanders, wußten Sie das?«

»O ja«, sagte die alte Frau. »Dieses Haus ist voll seltsamer Dinge. Ich muß sehr vorsichtig sein, wenn ich die Wand hier poliere, denn sie gleitet immer zurück, wenn ich zu stark reibe.«

»Was ist denn hinter dieser Tür?« wollte Julius wissen. Das Loch war gerade so groß, daß er seinen Kopf hindurchstecken konnte. Aber als er ihn hindurchzwängte, sah er in pechschwarze Finsternis. Nur zwischen der Wand und der Täfelung war ein Zwischenraum von etwa zwanzig Zentimetern.

»Haben Sie vielleicht eine Taschenlampe, Frau Sanders?« rief Anne, vor Aufregung zitternd.

»Nein«, sagte die alte Frau. »Ihr könnt eine Kerze haben, wenn ihr wollt. Auf dem Kaminsims liegt eine.«

Anne eilte davon, um sie zu holen. Julius zündete sie an und hielt sie in das Loch hinter der Täfelung. Die anderen drückten sich heran und wollten ebenfalls hineinsehen. »Nicht drängeln!« sagte Julius ungeduldig. »Wartet, bis ihr dran seid, ihr Dummköpfe! Laßt mich erst einmal sehen.«

Er besah sich das Loch sehr sorgfältig, aber er entdeckte nichts – nur Steinwand und Dunkelheit. Er gab Richard die Kerze, und dann blickten alle anderen der Reihe nach in das Loch. Die alte Frau war in die Küche zurückgegangen. Die verschiebbare Wandtäfelung war für sie nichts Neues.

»Sie hat doch gesagt, dieses Haus sei voll von ähnlichen sonderbaren Dingen«, bemerkte Anne. »Was könnte das nur sein? Wir wollen Frau Sanders fragen.«

Sie ließen die Täfelung wieder zurückgleiten und suchten die alte Frau auf. »Frau Sanders, was gibt es sonst noch Seltsames auf dem Felsenhof?« fragte Julius.

»Oben steht ein Schrank mit einer falschen Hinterwand«, gab Frau Sanders bereitwillig Auskunft. »Aber – regt euch nur nicht unnötig auf – da steckt weiter nichts dahinter. – Und am Kamin liegt ein großer Stein, unter dem sich ein Versteck befindet. Ich glaube, in uralten Zeiten brauchten die Leute solche Plätze, um wertvolle Gegenstände zu verbergen.«

Die Kinder liefen zu dem Stein. An ihm war ein Eisenring befestigt, mit dessen Hilfe es ein leichtes war, den Stein hochzuheben. Darunter zeigte sich eine Höhlung, groß genug, um eine kleine Kiste aufzunehmen. Jetzt war die Höhlung natürlich leer. Aber es sah trotzdem aufregend aus.

»Wo ist der Schrank?« fragte Julius.

»Meine alten Beine sind zu müde, um die Treppen nochmals hinaufzusteigen«, sagte die Bauersfrau. »Aber ihr könnt allein hinaufgehen. Wenn ihr oben ankommt, dann geht nach rechts in das zweite Zimmer. Der Schrank befindet sich am anderen Ende dieses Raumes. Öffnet die Tür und tastet am Boden entlang, bis ihr eine kleine Kerbe im Holz findet. Da müßt ihr fest draufdrücken, und die falsche Wand gleitet zur Seite.«

Die vier Kinder und Tim stürmten nach oben. Das war wirklich ein aufregender Morgen!

Sie fanden bald den Schrank und öffneten die Tür. Alle vier rutschten auf den Knien herum und betasteten den Schrankboden. Anne fand als erste die Kerbe.

»Ich hab's«, schrie sie. Sie drückte mit ganzer Kraft dagegen, aber ihre kleinen Finger waren nicht stark genug, den Mechanismus der gleitenden Wand in Bewegung zu setzen. Julius mußte ihr helfen. Plötzlich quietschte es, und die Kinder sahen die falsche Wand zur Seite gleiten. Dahinter zeigte sich ein breiter Raum, in dem ein nicht zu dicker Mann bequem Platz finden konnte.

»Ein phantastisches Versteck«, meinte Julius begeistert.

»Ich will mich hineinsetzen, und ihr sollt mich einschließen«, sagte Richard. »Huch, wie aufregend!«

Er kletterte in den Raum. Julius schob die Hinterwand an den alten Platz zurück – und Richard war nicht mehr zu sehen.

»Es ist ein bißchen eng hier drin«, rief er, »und furchtbar dunkel. Bitte, laßt mich wieder heraus!«

Die Kinder krochen der Reihe nach in das Versteck und ließen sich einschließen. Anne hatte dabei alles andere als ein angenehmes Gefühl. Dann gingen sie wieder in die Küche zurück.

»Das ist aber ein aufregender Schrank, Frau Sanders«, sagte Julius. »Ach, wenn wir in einem solchen Haus wohnen könnten – mit soviel Geheimnissen! –«

»Dürfen wir wiederkommen und in dem Schrank spielen?« fragte Georg.

»Daraus wird wohl nichts werden, Herr Georg«, sagte Frau Sanders. »Das Zimmer, in dem der Schrank steht, wird für die beiden Gäste hergerichtet.«

»Och«, sagte Julius enttäuscht. »Werden Sie ihnen von dem Schrank erzählen, Frau Sanders?«

»Ich glaube kaum«, entgegnete die alte Frau. »Nur Kinder finden solche Dinge aufregend.«

»Wie komisch Erwachsene sind«, meinte Anne. Sie stand vor einem Rätsel. »Ich bin davon überzeugt, daß ich mit hundert Jahren genauso aufgeregt sein würde wie jetzt, wenn ich eine gleitende Wand oder eine Falltüre zu sehen bekäme.«

»Mir geht es genauso«, sagte Richard und fügte hinzu: »Darf ich mir die gleitende Wand noch einmal ansehen, Frau Sanders? Ich nehme die Kerze mit.«

Richard wußte eigentlich nicht, warum er den Wunsch ausgesprochen hatte. Es war nur so ein Einfall von ihm. Die anderen wollten ihn nicht begleiten, weil außer der Steinwand wirklich nichts Besonderes hinter der Täfelung zu sehen war.

Richard nahm die Kerze in die Hand und ging in die Halle. Er drückte am oberen Ende der Wand gegen die Füllung, und sie glitt zurück. Dann stellte er die Kerze in das Loch und untersuchte es noch einmal. Nichts war zu sehen. Richard zog seinen Kopf wieder heraus und streckte statt dessen den Arm hinein. Neugierig tastete er die Höhlung ab. ›Vielleicht finde ich doch etwas‹, dachte er gerade, als seine Finger ein Loch in der Wand spürten.

»Merkwürdig«, murmelte Richard. »Warum soll ausgerechnet hier ein Loch sein?«

Er bohrte Daumen und Zeigefinger tiefer hinein und fühlte sorgfältig. Er spürte eine kleine Erhöhung in der Innenseite der Wand, eine Art Hühnerstange, und brachte es fertig, sie zu packen. Er drehte seine Finger hin und her, aber es geschah nichts. Dann faßte er fest zu und riß an dem Griff. Der Stein löste sich und kam vollständig heraus. Richard war so überrascht, daß er ihn losließ. Er fiel mit lautem Krach hinter die Wand. Das Geräusch ließ die anderen in die Halle eilen. »Was hast du wieder angestellt?« fragte Julius. »Hast du etwas zerbrochen?«

»Nein«, sagte Richard, und sein Gesicht wurde ganz rot vor Erregung. »Aber stellt euch vor – ich steckte meine Hand hier hinein und stieß auf ein Loch in einem der Steine. Ich fühlte eine Stange und zog daran. Der Stein löste sich, und ich erschrak darüber so, daß ich ihn fallen ließ. Und das war der Krach, den ihr gehört habt.«

»Donnerwetter!« sagte Julius und versuchte, Richard beiseite zu schieben. »Laß mich mal sehen.«

»Nein, Julius«, protestierte Richard und drängte ihn zurück. »Das ist *meine* Entdeckung. Warte, bis ich in dem Loch da drinnen etwas entdeckt habe. Es ist sehr schwierig heranzukommen.«

Die anderen warteten voller Ungeduld. Richard winkelte seinen Arm, um in die Höhlung zu gelangen, hinter der der Stein gelegen hatte. Seine Finger tasteten den Boden entlang, und auf einmal berührten sie einen Gegenstand, der sich wie ein Buch anfühlte. Mit größter Vorsicht brachte er ihn ans Licht.

»Ein altes Buch«, sagte er.

»Was steht denn darin geschrieben?« schrie Anne.

Sie blätterten vorsichtig in dem Buch. Die Seiten waren so trocken und brüchig, daß einige bei der Berührung zu Staub zerfielen.

»Es wird ein altes Rezeptbuch sein«, sagte Anne, die mit ihren scharfen Augen einige Worte der alten, verblichenen Handschrift entziffert hatte. »Wir wollen es Frau Sanders zeigen.«

Die Kinder trugen das Buch zu der Bauersfrau. Sie freute sich über deren strahlende Gesichter, nahm das

Buch in die Hand und besah es sich von allen Seiten, ohne eine Spur von Aufregung zu zeigen.

»Ja«, sagte sie, »es ist so – ein altes Rezeptbuch. Seht ihr den Namen auf dem Deckel? Amalie Maria Sanders – das muß meine Urgroßmutter gewesen sein. Sie war im ganzen Land für ihre Arzneien berühmt. Mehr weiß ich über sie nicht. Die Leute erzählen sich, daß sie jeden, ob Mensch oder Tier, heilen konnte, gleichgültig, an welcher Krankheit er litt.«

»Schade, daß man die Handschrift so schlecht lesen kann«, sagte Julius enttäuscht. »Das ganze Buch zerfällt gleich in Stücke. Es muß sehr alt sein.«

»Glaubst du, daß noch mehr in dem Versteck sein könnte?« fragte Anne. »Julius, geh du doch und stecke deinen Arm hinein. Er ist länger als der Richards.«

»Es scheint weiter nichts darin zu sein«, meinte Richard. »Der Raum dort ist nur klein.«

»Na, dann will ich mal mein Glück versuchen und noch mal nachsehen«, sagte Julius.

Sie gingen alle wieder gemeinsam in die Halle zurück. Julius streckte seinen Arm in die Öffnung und betastete mit den Fingern den Boden, in der Hoffnung, noch etwas zu finden.

Und da lag tatsächlich noch etwas drin, etwas Weiches und Flaches. Es fühlte sich wie Leder an. Die Finger des Jungen schlossen sich fest um den Gegenstand. Dann zog er ihn langsam und vorsichtig heraus, voller Angst, er könne vor Alter zerfallen.

»Ich habe etwas gefunden«, sagte er hastig. »Seht her – was mag das nur sein?«

Die anderen drängten sich um ihn. »Es sieht wie Vatis Tabaksbeutel aus«, sagte Anne, nachdem sie das weiche Leder befühlt hatte. »Er hat dieselbe Form. Ist etwas drin?«

Tatsächlich – es war ein alter Tabaksbeutel, ganz dunkelbraun, aus feinem Leder gearbeitet, schon stark abgenutzt. Julius öffnete ihn vorsichtig und rollte das Leder auseinander.

Einige Tabakreste waren im Beutel zurückgeblieben – aber es befand sich auch noch etwas anderes darin. In einer Ecke des Tabaksbeutels zusammengedrückt lag eine Leinwandrolle. Julius nahm sie heraus und entfaltete sie. Dann breitete er sie auf dem großen Tisch in der Halle aus.

Die Kinder starrten das Ding an. Auf dem Leinen waren Zeichen und Linien in schwarzer Tinte aufgemalt, die trotz des Alters kaum verblichen waren. Aber die vier Kinder konnten aus den Zeichen nicht klug werden.

»Es ist eine Landkarte, das steht fest«, sagte Julius. »Es scheint eine Art Geheimschlüssel zu sein. Ich möchte zu gern wissen, was er bedeutet. Hoffentlich können wir es herausfinden. Es ist sicher ein kostbares Geheimnis.«

Die Kinder konnten ihre Blicke nicht von dem Leinwandfetzen wenden – ungeheure Spannung lag auf ihren Gesichtern. Was mochte das nur für ein Geheimnis sein?

Sie liefen zu Frau Sanders, um ihren neuen Fund zu zeigen. Sie saß in der Küche und war ganz in das alte Rezeptbuch vertieft. Ihr Gesicht strahlte vor Vergnügen, als sie zu den aufgeregten Kindern aufsah.

»Dies Buch ist ein Wunder«, sagte sie. »Ich kann zwar die Schrift kaum lesen, aber hier – soviel habe ich herausbekommen – steht ein Rezept gegen Rückenschmerzen. Abends tut doch mein Rücken immer so weh. Nun, hört nur ...«

Aber die Kinder hatten keine Lust und keine Geduld, das Rezept gegen Rückenschmerzen anzuhören.

Sie legten die Leinwandrolle der alten Frau auf den Schoß.

»Sehen Sie sich das einmal an. – Was kann das nur bedeuten? – Wissen Sie es vielleicht, Frau Sanders? – Wir haben es in einem Tabaksbeutel hinter der Wandtäfelung gefunden.«

Frau Sanders nahm ihre Brille ab, putzte sie umständlich und setzte sie wieder auf. Dann besah sie sich sorgfältig das Stück Leinwand und studierte die seltsamen Zeichen. Sie schüttelte den Kopf. »Ich habe keine Ahnung. – Aber was ist denn das? Es sieht ja wie ein alter Tabaksbeutel aus. Das wäre etwas für meinen Hans. Er hat sowieso nur noch einen alten, abgenutzten, aus dem der Tabak immer herausrieselt. Der hier ist zwar auch alt – aber noch lange nicht so abgenutzt.«

»Frau Sanders, wollen Sie den Leinwandfetzen auch haben?« fragte Julius ängstlich. Er wollte ihn doch zu gern mit nach Haus nehmen und dort studieren. Er war davon überzeugt, daß er ein aufregendes Geheimnis barg.

»Nimm ihn ruhig mit, Julius, wenn du ihn haben willst«, sagte die alte Frau lachend. »*Ich* werde die Rezepte behalten, und Hans soll den Beutel haben. – Aha, da kommt er ja.«

Sie rief mit erhobener Stimme dem schwerhörigen alten Mann zu: »He, Hans, hier ist ein Tabaksbeutel für dich. Die Kinder haben ihn hinter der getäfelten Wand in der Halle gefunden.«

Der Alte nahm ihn in die Hand und befingerte ihn. »Neu ist er zwar nicht«, sagte er dann, »aber besser als meiner. Nun, ihr junges Volk, ich möchte euch zwar nicht vor die Tür setzen, aber es ist jetzt ein Uhr, also Essenszeit. Geht jetzt lieber, damit ihr nicht zu spät nach Hause kommt.«

»Ach, du liebe Güte«, sagte Julius. »Das wird sich wohl kaum mehr vermeiden lassen. Auf Wiedersehen, Frau Sanders, und herzlichen Dank für den Mürbekuchen und diesen alten Fetzen. Wir werden unser Bestes tun, um herauszufinden, was das Gekritzel bedeutet. Dann werden wir es Ihnen erzählen. – Komm, Tim! Wir müssen uns beeilen.«

Die fünf rannten davon. Es war aber auch allerhöchste Zeit. Doch die Erlebnisse des heutigen Morgens waren so aufregend, daß sie sogar im Laufen noch über ihre Eindrücke reden mußten.

»Ich bin schrecklich gespannt, was der alte Stoffetzen uns zu verraten hat«, japste Julius. »Ich *werde* es herausfinden. Es ist bestimmt etwas sehr Geheimnisvolles.«

»Sollen wir es jemandem erzählen?« fragte Richard.

»Nein«, erwiderte Georg, »es muß unser Geheimnis bleiben.«

»Wenn Anne sich verplappert, dann gib ihr einen Fußtritt unter dem Tisch, wie im vorigen Sommer«, sagte Julius grinsend. Die arme Anne konnte so schlecht etwas für sich behalten, und es hatte schon mehr als einen Fußtritt oder Rippenstoß abgesetzt, wenn sie sich verplapperte.

»Ich werde keinen Ton sagen«, rief Anne entrüstet. »Und wehe, wenn ihr mich tretet! Dann schreie ich vor Schreck, und dann wollen die Erwachsenen wissen, warum.«

»Nach dem Essen halten wir große Beratung über das Stück Leinwand ab«, schlug Julius vor. »Ich wette, wir bekommen heraus, was es bedeutet. Wir müssen es uns nur ganz fest vornehmen.«

»So, jetzt sind wir da«, sagte Georg. »Und noch nicht einmal zu spät. – Hallo, Mutter – wir waschen uns schnell die Hände. – Es war wunderschön.«

V

Ein unerfreulicher Spaziergang

Nach dem Essen gingen die vier Kinder nach oben ins Schlafzimmer der Jungen und falteten die Leinwandrolle auseinander. Hier und dort waren flüchtig hingekritzelte Wörter zu erkennen. Sie entdeckten auch die ungenüge Zeichnung eines Kompasses, mit einem deutlichen O als Markierungszeichen für die Ost-Richtung. Acht Quadrate waren in der Mitte des Leinwandstreifens aufgezeichnet, eines davon war durch ein Kreuz gekennzeichnet. Es war alles sehr geheimnisvoll.

»Ich glaube, das ist Lateinisch«, sagte Julius und versuchte, die Worte zu übersetzen. »Ach«, seufzte er, »ich kann die Wörter nicht richtig lesen. Und wenn ich sie auch lesen könnte, wüßte ich noch lange nicht, was sie bedeuten. Wenn wir nur jemand wüßten, der Latein kann!«

»Kann dein Vater denn nicht Latein, Georg?« fragte Anne.

»Ich nehme an«, sagte Georg zögernd. Weder sie noch die anderen verspürten Lust, Onkel Quentin zu fragen. Vielleicht würde er ihnen den merkwürdigen Leinwandfetzen einfach wegnehmen. Er würde ihn dann entweder vollständig vergessen oder ihn sogar verbrennen. Gelehrte sind nun einmal komische Leute.

»Und Herr Roland?« fragte Richard. »Er ist doch Lehrer. Er kann sicher Latein.«

»Wir wollen ihn erst fragen, wenn wir ihn besser kennengelernt haben«, sagte Julius vorsichtig. »Er scheint ja ganz nett zu sein – aber man kann nie wissen! – O verflixt! Wenn wir es doch allein herausbekämen!«

»Oben am Rand stehen zwei Wörter«, sagte Richard

und versuchte sie zu entziffern. »›Via occulta‹, was könnte das nur heißen, Julius?«

»Warte mal – ich würde es mit ›Geheimweg‹ oder so ähnlich übersetzen«, meinte sein Bruder und zog die Stirn in Falten.

»Geheimweg?« sagte Anne mit glänzenden Augen. »Hoffentlich hast du recht. ›Geheimweg‹! – Hui, wie aufregend! Was für ein Geheimweg könnte damit gemeint sein, Julius?«

»Woher soll ich das wissen, du kleines Dummes?« sagte Julius. »Ich weiß nicht einmal, ob meine Übersetzung stimmt. Ich habe es mir nur so zurechtgelegt.«

»Angenommen, es stimmt – vielleicht enthält der Leinwandstreifen Anweisungen, um den Geheimweg, oder was es sonst sein mag, zu finden«, meinte Richard. »Mensch, Julius! Versuch doch noch einmal dein Glück! Du kannst mehr Latein als ich.«

»Diese komischen alten Buchstaben sind elend schwer zu lesen«, beklagte sich Julius und bemühte sich, weitere Buchstaben zu entziffern. Dann stöhnte er: »Es hat überhaupt keinen Zweck. Ich kann aus der Schrift nicht klug werden.«

Sie hörten jemand die Treppe heraufkommen, und plötzlich ging die Tür auf. Herr Roland schaute herein.

»Hallo«, sagte er. »Hier seid ihr! Ich suche euch schon überall. – Wie wäre es mit einem Spaziergang über die Klippen?«

»Wir kommen mit«, sagte Julius und rollte schnell die Leinwand zusammen.

»Es ist ein – –«, begann Anne, und sofort fingen die anderen wie aus einem Munde zu reden an, aus Angst, daß Anne das Geheimnis ausplaudern könnte.

»Es ist ein wundervoller Nachmittag für einen Spaziergang.«

»Kommt schnell und zieht eure Mäntel an!«

»Tim! Tim! Wo bist du?« Georg ließ einen schrillen Pfiff ertönen. Tim stürzte unter dem Bett hervor. Anne hatte inzwischen gemerkt, warum die anderen sie unterbrochen hatten, und wurde knallrot.

»Klatschtante!« sagte Julius leise, so daß es Herr Roland nicht hören konnte. »Säugling!«

Glücklicherweise äußerte sich Herr Roland nicht weiter über das Stück Leinwand, das er in Julius' Hand gesehen hatte. Er blickte Tim an.

»Muß er denn unbedingt mitkommen?« fragte Herr Roland.

Georg sah den Hauslehrer ganz entrüstet an.

»Aber selbstverständlich!« sagte sie. »Wir gehen niemals ohne Tim aus.«

Herr Roland ging die Treppe hinunter, und die Kinder machten sich fertig. Georg zeigte immer noch ein finsteres Gesicht. ›Tim zu Hause lassen!‹ Schon der Gedanke machte sie böse.

»Beinahe hättest du unser Geheimnis verraten, du dummes Ding«, schimpfte Richard mit seiner Schwester.

»Ich habe es ganz vergessen«, sagte Anne beschämt.

»Jedenfalls, Herr Roland scheint sehr nett zu sein. Ich glaube, wir können ihn ruhig fragen, ob er uns bei den komischen Wörtern helfen kann.«

»Das überläßt du gefälligst mir«, sagte Julius aufgebracht. »Wehe, wenn du auch nur ein einziges Wort sagst!«

Sie machten sich auf den Weg – mit Tim. Herr Roland hätte sich gar keine Sorgen um den Hund zu machen brauchen, denn Tim kam überhaupt nicht in seine Nähe und nahm nicht die geringste Notiz von ihm – auch dann nicht, wenn Herr Roland mit ihm sprach. Merkwürdig.

»Gewöhnlich benimmt er sich nicht so«, sagte Richard. »Er ist sonst sehr freundlich.«

»Schon recht – aber da ich mit ihm unter einem Dach wohnen muß, bleibt mir einfach nichts anderes übrig, als Freundschaft mit ihm zu schließen«, sagte der Hauslehrer. »Hier, Tim! Komm her! Ich habe einen Keks für dich.«

Bei dem Wort »Keks« spitzte Tim die Ohren, aber er sah sich nicht einmal nach Herrn Roland um. Er ließ den Schwanz hängen und ging zu Georg. Sie streichelte das Tier.

»Wenn er jemanden nicht leiden kann, dann kommt er einfach nicht – nicht einmal ein Knochen oder ein Keks kann ihn dazu bewegen«, erklärte das Mädchen.

Herr Roland gab es auf und steckte den Keks wieder ein. »Das Tier sieht aber auch zu komisch aus, nicht wahr?« bemerkte er. »Ein merkwürdiges Geschöpf, ein schrecklicher Bastard! Ich muß schon sagen, ich ziehe reinrassige Hunde vor.«

Georg wurde puterrot im Gesicht. »Er sieht *nicht* komisch aus«, sprudelte sie hervor. »Er sieht nicht halb so komisch aus wie Sie – und er ist kein schrecklicher Bastard! – Er ist der beste Hund der Welt!«

»Ich finde, du bist etwas unhöflich«, sagte Herr Roland steif und kühl. »Ich erlaube meinen Schülern nicht, frech zu sein, Georgina.«

Daß er sie in diesem Augenblick »Georgina« nannte, machte sie nur noch wütender. Sie blieb mit Tim zurück und machte ein Gesicht wie sieben Tage Regenwetter. Die anderen hatten ein unbehagliches Gefühl. Sie wußten, was für Wutanfälle Georg bekommen konnte. Dabei war es schon viel besser geworden, seitdem sie im vergangenen Sommer das erste Mal zusammen gewesen waren. Sie hofften nur, daß sie jetzt Vernunft annehmen und keinen Zank vom Zaune brechen würde. Das könnte ihnen allen die Weihnachtsferien verderben!

Herr Roland kümmerte sich nicht weiter um Georg. Er sprach sie nicht an, sondern ging mit den anderen weiter und gab sich alle Mühe, lustig zu sein. Er konnte wirklich sehr drollig sein, und die Jungen begannen über seine Späße zu lachen. Er nahm Annes kleine Hand in seine große, und das kleine Mädel hüpfte neben ihm her und freute sich über den Spaziergang.

Georg tat Julius leid. Es war kein angenehmes Gefühl, von einer Gemeinschaft ausgeschlossen zu sein, und er wußte, wie sehr gerade Georg darunter litt. Er überlegte sich, ob er ein gutes Wort für sie einlegen sollte. Vielleicht würde das die Spannung etwas lösen. »Herr Roland«, begann er, »könnten Sie meine Kusine nicht so nennen, wie sie es gern hat? ›Georg‹ – und nicht ›Georgina‹. Der Name ist ihr einfach verhaßt. – Und sie hat Tim sehr, sehr lieb. Sie kann es nicht vertragen, wenn man ihn schlechtmacht.«

Herr Roland sah Julius überrascht an. »Mein lieber Junge«, sagte er ziemlich kühl. »Ich weiß, daß du es gutmeinst, aber ich glaube kaum, daß ich deinen Rat in bezug auf meine Schüler benötige. Ich werde meinen eigenen Ansichten im Hinblick auf die Behandlung Georginas folgen und nicht deinen Ratschlägen. Ich möchte euer aller Freund sein, aber Georgina muß genausoviel Vernunft zeigen wie ihr drei.«

Julius fühlte sich wie geschlagen. Er wurde rot und blickte zu seinem Bruder hinüber. Richard kniff ihn in den Arm. Die Jungen wußten, daß Georg starrköpfig und unausstehlich sein konnte, sie meinten aber, daß Herr Roland seinerseits etwas mehr Verständnis zeigen könnte. Richard blieb etwas hinter den anderen zurück und gesellte sich zu Georg.

Sie empfing ihn mit blitzenden Augen. »Du brauchst nicht mit mir zu gehen. Ich bin nicht albern«, sagte sie mit erstickter Stimme. »Denkst du vielleicht, ich hätte nicht gehört, wie ihr mit ihm gelacht habt und lustig gewesen seid? Ein Glück, daß ich wenigstens Tim habe.«

»Georg, jetzt sind doch Weihnachtsferien«, bat Richard. »Wir wollen uns wieder vertragen, bitte, und uns das Weihnachtsfest nicht verderben.«

»Ich bringe es nun einmal nicht fertig, jemanden gern zu haben, der Tim nicht ausstehen kann«, sagte Georg widerspenstig.

»Ich verstehe dich schon, Georg, aber Herr Roland hat ihm doch einen Keks angeboten«, sagte Richard, der unter allen Umständen Frieden schließen wollte.

Georg schwieg. Ihr kleines Gesicht brannte vor Empörung. Richard versuchte es noch einmal.

»Georg! Versprich wenigstens, nett zu sein, bis Weihnachten vorüber ist. Um alles in der Welt – verdirb bloß nicht das Fest! – Nun komm schon, Georg!«

»Gut«, sagte Georg endlich. »Ich will es versuchen.«

»Dann komm und geh mit uns«, sagte Richard aufmunternd. Georg holte die anderen ein und gab sich Mühe, nicht beleidigt auszusehen. Herr Roland erriet, daß der Junge ihr gut zugeredet hatte, und bezog sie in die Unterhaltung mit ein. Er konnte sie zwar nicht zum Lachen bringen, aber sie antwortete wenigstens höflich.

»Ist das der ›Felsenhof‹?« fragte Herr Roland, als sie den Bauernhof erblicken konnten.

»Ja. – Kennen Sie ihn?« fragte Julius erstaunt.

»Nein, nein«, wehrte der Lehrer hastig ab. »Ich habe nur von ihm gehört und überlegte gerade, ob er es sein könnte.«

»Wir waren heute morgen dort«, sagte Anne. »Es ist

ein geheimnisvolles Haus.« Sie sah die anderen an, um sich zu vergewissern, ob sie wohl etwas dagegen haben würden, wenn sie von den Geschehnissen des heutigen Morgens erzählte. Julius überlegte einen Augenblick. Eigentlich konnte es ja wirklich nichts schaden, Herrn Roland von dem Stein in der Küche und der falschen Schrankwand zu berichten. Frau Sanders erzählte es jedem, der sich dafür interessierte. Man konnte auch die gleitende Täfelung in der Halle erwähnen und erzählen, daß sie dort das alte Rezeptbuch gefunden hatten. Man brauchte ja nichts von dem alten, beschriebenen Leinwandstreifen zu sagen.

Und so berichtete er dem Lehrer von den aufregenden Dingen in dem alten Bauernhaus – aber über das Leinen mit den seltsamen Zeichen schwieg er. Herr Roland hörte mit größtem Interesse zu.

»Das ist alles sehr bemerkenswert«, meinte er dann. »Wirklich – sehr bemerkenswert! Höchst interessant! Ihr sagt, daß die alten Leute ganz allein in dem Haus wohnen?«

»Ja. – Aber über Weihnachten haben sie Gäste«, sagte Richard.

»Zwei Maler. Julius will dann auch einmal hinübergehen und sich mit ihnen unterhalten. Er kann sehr gut malen, wissen Sie.«

»Wirklich?« fragte Herr Roland. »Dann muß er mir unbedingt einige seiner Bilder zeigen. Aber« – wandte er sich direkt an Julius – »du gehst lieber nicht hinüber ins Bauernhaus, du könntest die Maler belästigen. Sie wollen sicherlich nicht gestört werden.«

Die Bemerkung reizte Julius. Jetzt gerade würde er hinübergehen und mit den beiden Malern sprechen, wenn sich die Gelegenheit bot.

So endete der Spaziergang doch noch erfreulich –

abgesehen von Georgs Schweigen und Tims seltsamem Verhalten. Als sie an einen zugefrorenen Teich kamen, warf Richard einige Prügel aufs Eis und befahl Tim, sie zu apportieren. Es war lustig, ihn auf dem Eis entlangschliddern zu sehen, während er sich bemühte, richtig zu laufen. Jetzt schleuderten auch die anderen Kinder Stöcke aufs Eis, und Tim holte sie. Als der Lehrer ihm einen Stecken hinwarf, würdigte der Hund ihn kaum eines Blickes. Es schien fast, als wollte er sagen: ›Was? Deinen Stock? Nein, danke.‹

»Jetzt aber schleunigst nach Hause«, sagte Herr Roland, der versuchte, seinen Ärger über Tim zu verbergen. »Wir werden gerade noch rechtzeitig zum Kaffee kommen.«

VI

Unterricht bei Herrn Roland

Am nächsten Morgen fühlten sich die Kinder etwas bedrückt. – Unterricht! – Wie abscheulich! – Und ausgerechnet in den Ferien! Na, wenn schon – Herr Roland war gar nicht so übel. Die Kinder waren am vorhergehenden Abend nicht mit ihm zusammen gewesen, weil er mit ihrem Onkel sprechen wollte. Sie hatten die Gelegenheit ergriffen und den Leinwandfetzen hervorgeholt und darüber gebrütet.

Aber sie waren nicht ein Schrittchen weitergekommen. Keiner konnte daraus klug werden. – Geheimweg. – Was bedeutete das nur? Waren es wirklich Anweisungen für einen geheimen Weg oder Gang? Und wo war dieser Gang, und weshalb war er geheim? – Zu ärgerlich, daß man der Lösung nicht näherkam!

»Ich habe das Gefühl, als ob wir sehr bald jemand fragen müßten«, sagte Julius seufzend. »Ich kann diese Ungewißheit einfach nicht ertragen! Ich denke an nichts anderes mehr.«

Die Nacht hatte er sogar davon geträumt. Jetzt war es Morgen, und der Unterricht sollte bald beginnen. Er war gespannt, welche Fächer Herr Roland wählen würde – vielleicht Latein. Dann konnte er ihn fragen, was die Worte »via occulta« bedeuteten.

Herr Roland hatte ihre Zeugnisse gesehen und sich die Fächer, in denen sie schwach waren, vorgemerkt. Das waren hauptsächlich Latein und Französisch. Auch in Mathematik hatten Richard und Julius sehr schlechte Noten. Geometrie war Julius' schwächste Seite.

Anne brauchte keine Nachhilfestunden.

»Aber wenn du mitmachen willst, werde ich dir eine

kleine Malarbeit geben«, sagte Herr Roland und blinzelte mit seinen blauen Augen zu ihr hinüber. Er hatte Anne sehr gern. Sie machte keine Schwierigkeiten und nahm nicht gleich alles krumm wie Georg.

Dieser Vorschlag war ganz nach Annes Geschmack.

»Oh, ja«, sagte sie glücklich. »Das ist fein. Ich kann Blumen malen, Herr Roland. Ich werde ein paar rote Mohnblumen und blaue Kornblumen aus dem Gedächtnis für Sie malen.«

»Wir werden um halb zehn anfangen«, sagte Herr Roland. »Bringt eure Bücher ins Wohnzimmer und seid pünktlich.«

Pünktlich um halb zehn Uhr saßen alle Kinder mit ihren Büchern um den großen Tisch im Wohnzimmer versammelt. Anne hatte ihren Farbkasten und Wasser mitgebracht. Glückliche Anne! Die anderen blickten sie neidisch an. Sie durfte malen, während sie sich mit so schwierigen Dingen wie Latein und Mathematik abplagen mußten.

»Wo ist Tim?« fragte Julius leise.

»Unter dem Tisch«, antwortete Georg trotzig. »Er wird schon still liegen. Bitte, sagt nichts. Ich will ihn hierhaben. Ohne Tim werde ich nicht mitarbeiten.«

»Warum sollte er auch nicht dabeisein«, sagte Richard. »Er ist ein sehr, sehr guter Hund. – Pst! – Herr Roland kommt.«

Der Lehrer betrat das Zimmer. Struppig stand sein schwarzer Bart um Mund und Kinn. In dem fahlen Wintersonnenlicht, das in den Raum fiel, wirkten seine blauen Augen farblos und stechend. Er hieß die Kinder sich hinsetzen.

»Zuerst werde ich mir eure Hefte ansehen«, sagte er. »Ich muß wissen, was ihr in den letzten Schulwochen durchgenommen habt. Du bist als erster dran, Julius.«

Bald arbeitete die kleine Klasse friedlich zusammen. Anne war eifrig mit dem Malen eines bunten Mohn- und Kornblumenbildes beschäftigt. Herr Roland bewunderte es laut und lobte sie. ›Er ist wirklich sehr nett‹, dachte Anne.

Plötzlich stieg ein lauter Seufzer in die Stille des Raumes. Er kam von unten, von Tim, der des langen Stillliegens müde geworden war. Herr Roland schaute überrascht auf. Georg seufzte ganz laut, um Herrn Roland glauben zu machen, daß auch der erste Seufzer von ihr gekommen sei.

»Du scheinst müde zu sein, Georgina«, sagte er. »Um elf werden wir eine kleine Pause machen.«

Georg runzelte die Stirn, weil er sie wieder »Georgina« genannt hatte. Sie berührte Tim ganz behutsam mit dem Fuß, um ihn zu beruhigen. Tim leckte ihren Fuß.

Doch nach einer Weile, als eben wieder vollkommene Ruhe herrschte, hatte Tim den unwiderstehlichen Drang, sich den Rücken zu kratzen. Er erhob sich. Dann setzte er sich mit einem Plumps wieder hin und kratzte sich geräuschvoll. Die Kinder versuchten, das Scharren durch andere geräuschvolle Laute zu übertönen.

Georg trampelte mit den Füßen auf den Fußboden. Julius fing an zu husten und ließ eines seiner Bücher auf den Boden fallen. Richard rückte am Tisch und redete Herrn Roland an.

»Ach, diese Aufgabe ist aber schwer! Wirklich ! – Ich versuche sie schon die ganze Zeit und bekomme sie nicht heraus.«

»Warum macht ihr plötzlich solch einen Krach?« fragte Herr Roland erstaunt und überrascht. »Hör auf, mit den Füßen zu scharren, Georgina.«

Tim beruhigte sich wieder, und die Kinder atmeten

erleichtert auf. Es herrschte wieder Ruhe. Herr Roland befahl Richard, mit seinem Mathematikbuch zu ihm zu kommen.

Der Lehrer nahm das Buch zur Hand, streckte seine Füße unter dem Tisch aus und lehnte sich zurück, um Richard die Aufgabe zu erklären. Zu seinem größten Erstaunen stießen seine Füße an etwas Warmes, Weiches – und dann schnappte dieses Etwas zu und biß ihn in den Knöchel. Mit einem Schmerzensschrei zog er die Füße herauf.

Die Kinder blickten ihn entsetzt an. Er bückte sich und schaute unter den Tisch. »Es ist dieser verflixte Hund!« sagte er zornig. »Das Biest hat nach meinem Knöchel geschnappt und ein Loch in meine Hose gerissen. – Laß ihn sofort hinaus, Georgina!«

Georg schwieg. Sie saß da, als habe sie nichts gehört.

»Sie wird Ihnen nicht antworten, wenn Sie sie ›Georgina‹ nennen«, erinnerte Julius ihn.

»Sie *wird* antworten, und wenn ich sie sonstwie nenne«, sagte Herr Roland kochend vor Zorn. »Ich dulde den Hund nicht in diesem Zimmer. – Wenn du ihn nicht sofort hinausläßt, Georgina, dann werde ich zu deinem Vater gehen.«

Georg sah ihn an. Sie wußte, daß das strengen Arrest für Tim bedeutete – wenn nicht gar Schlimmeres. Feuerrot im Gesicht sprang sie auf. Sie runzelte die Stirn so stark, daß ihre Augen kaum noch zu sehen waren. Dann sagte sie zu dem Hund: »Komm, Tim. Ich verstehe gut, daß du ihn gebissen hast. Wenn ich ein Hund wäre, würde ich es genauso machen!«

»Du brauchst nicht auch noch frech zu werden«, schrie Herr Roland wütend.

Die anderen starrten Georg an. Es war ihnen peinlich, daß Georg sich so gehenließ. Wenn sie zornig wurde,

schien es ihr vollkommen gleichgültig zu sein, was sie sagte.

»Komm zurück, wenn du den Hund hinausgelassen hast«, rief ihr der Lehrer nach.

Georg verzog das Gesicht, kam aber nach einigen Minuten zurück. Nun war es ihm doch gelungen! Ihr Vater und der Lehrer waren Freunde – wenn sie sich weiterhin so schlecht benähme, wie sie es so gern wollte, dann würde Tim darunter leiden, und er würde aus dem Hause verbannt werden. Um Tims willen gehorchte Georg dem Lehrer, aber von jetzt an haßte sie ihn.

Die anderen fühlten tiefes Mitleid mit Georg und Tim, aber sie teilten die heftige Abneigung des kleinen Mädchens gegen ihren neuen Lehrer nicht. Er brachte sie oft zum Lachen. Er war nachsichtig gegenüber ihren Fehlern. Bereitwillig zeigte er ihnen, wie man Papierflugzeuge und -schiffe macht, und brachte ihnen kleine Kunststücke bei. Julius und Richard fanden viel Spaß daran und merkten sie sich, um sie anderen Jungen zeigen zu können, wenn sie erst wieder im Internat waren.

Nach dem Unterricht gingen die Kinder für eine halbe Stunde in den Sonnenschein des Wintermorgens. Georg rief nach Tim.

»Armer alter Junge!« sagte sie. »Was für eine Schande, dich aus dem Zimmer zu schicken. Warum hast du auch Herrn Roland gebissen? Ich persönlich bin vollkommen damit einverstanden, Tim – aber ich weiß immer noch nicht, warum du das getan hast.«

»Georg, du darfst Herrn Roland nicht an der Nase herumführen«, sagte Julius zu seiner Kusine. »Wir bekommen dadurch nur Unannehmlichkeiten. Er ist unnachgiebig. Er wird sich von niemandem viel bieten lassen. Und doch glaube ich, daß er ein ganz feiner Kerl sein kann, wenn wir ihn erst richtig kennenlernen.«

»Gebt euch nur Mühe, ihn richtig kennenzulernen«, sagte Georg höhnisch. »Aber ohne mich! Wenn ich jemand nicht ausstehen kann – dann kann ich ihn eben nicht ausstehen. Und ich kann Herrn Roland nun mal nicht leiden.«

»Warum eigentlich? Nur weil er Tim nicht mag?« fragte Richard.

»Zum größten Teil deswegen – aber auch, weil es mir kalt den Buckel herunterläuft, wenn ich nur an ihn denke«, sagte Georg. »Herr Roland hat so einen ekligen Mund.«

»Aber den kannst du ja gar nicht sehen«, sagte Julius, »er ist doch ganz vom Schnurrbart bedeckt.«

»Ich habe seine Lippen trotzdem gesehen«, erwiderte Georg widerspenstig. »Sie sind dünn und grausam. Seht sie euch nur an! Ich mag dünnlippige Leute nicht. Sie sind immer gehässig und hartherzig. Auch seine kalten Augen gefallen mir nicht. Ihr könnt euch ja bei ihm einschmeicheln – ich jedenfalls mache nicht mit.«

Julius wollte mit dem kleinen Dickkopf nicht böse werden. Er lachte sie aus. »Wir wollen uns ja gar nicht bei ihm einschmeicheln«, sagte er, »wir sind nur vernünftig, das ist alles. Sei du nur auch vernünftig, Georg, alter Freund.«

Aber wenn Georg einmal einen Entschluß gefaßt hatte, dann war sie nicht mehr davon abzubringen. – Sie wurde erst wieder fröhlich, als sie hörte, daß sie am Nachmittag mit dem Omnibus losfahren würden, um Weihnachtseinkäufe zu machen. *Ohne* Herrn Roland. Er gedachte einem Versuch beizuwohnen, den Vater Quentin ihm zeigen wollte.

»Ich werde euch in die Stadt bringen, dann könnt ihr nach Herzenslust einkaufen«, sagte Tante Fanny zu den Kindern. »Anschließend verzehren wir in einer Konditorei Kaffee und Kuchen und fahren dann mit dem Sechs-Uhr-Omnibus wieder nach Hause.«

Das war ein Vergnügen! Sie stiegen in den Omnibus ein und ruckelten auf der holprigen Landstraße dahin, bis sie die Stadt erreichten. Die Auslagen in den Geschäften sahen bunt und lustig aus. Die Kinder hatten ihr Geld eingesteckt und waren lange mit dem Kauf aller nur erdenklichen Dinge beschäftigt. So viele Leute wollten bedacht sein.

»Ich denke, wir kaufen auch etwas für Herrn Roland«, meinte Julius.

»Ich bin dabei«, sagte Anne. »Ich kaufe ihm eine Schachtel Zigaretten. Ich weiß, welche Marke er gern raucht.«

»Du willst Herrn Roland ein Geschenk machen?« sagte Georg verächtlich.

»Und warum nicht?« fragte ihre Mutter überrascht. »Ach, du liebes Bißchen – ich will doch hoffen, daß du endlich Vernunft annimmst und deine Abneigung gegen den armen Mann aufgibst.«

»Was wirst du Tim schenken?« fragte Julius schnell, um das Thema zu wechseln.

»Den größten Knochen, den der Fleischer auf Lager hat«, sagte Georg. »Was bekommt er denn von dir?«

»Ich glaube, wenn Tim Geld hätte, dann würde er uns allen auch ein Geschenk kaufen«, sagte Anne. Sie legte ihren Arm um seinen Hals und zupfte ihn liebevoll am Fell. »Er ist der beste Hund der Welt.«

Für diese Äußerung verzieh Georg ihr den Vorschlag, Herrn Roland ein Geschenk zu kaufen. Ihr Gesicht heiterte sich auf, und sie begann darüber nachzudenken, was *sie* für alle kaufen wollte.

Dann saßen sie bei Kaffee und Kuchen in einer kleinen Konditorei, und um sechs Uhr fuhr sie der Omnibus zurück zum »Felsenhaus«. Tante Fanny ging ins Studierzimmer, um sich zu erkundigen, ob die Köchin den Männern auch Tee gebracht hatte. Strahlend kam sie wieder heraus.

»Ich habe euren Onkel noch nie so guter Laune gesehen«, sagte sie zu den Kindern. »Er unterhält sich mit Herrn Roland so angeregt, als ob sie sich schon jahrelang kennen würden. Er hat eurem Lehrer viele seiner Versuche gezeigt. Es ist so gut und wichtig für ihn, daß er sich mit jemand unterhalten kann, der ein klein wenig über diese Dinge Bescheid weiß.«

Am Abend spielte Herr Roland mit den Kindern. Tim war auch im Zimmer, und der Lehrer versuchte wieder, mit ihm Freundschaft zu schließen, aber der Hund beachtete ihn überhaupt nicht.

»Genauso dickköpfig wie seine kleine Herrin«, meinte Herr Roland und sah lachend zu Georg hinüber, die mit Genugtuung beobachtet hatte, daß Tim von Herrn Roland nichts wissen wollte. Befriedigung breitete sich auf ihrem Gesicht aus, aber dem Lehrer antwortete sie nur mit einem finsteren Blick.

»Sollen wir ihn morgen fragen, ob ›via occulta‹ wirklich ›Geheimweg‹ heißt, oder nicht?« fragte Julius seinen Bruder abends beim Ausziehen. »Ich bin gespannt wie ein Fiedelbogen, ob meine Übersetzung stimmt. – Wie gefällt dir eigentlich Herr Roland, Richard?«

»Ich weiß nicht recht«, Richard zögerte. »Ich mag viele Dinge an ihm, aber dann – ganz plötzlich – kann ich ihn nicht ausstehen. Ich mag seine Augen nicht. Und Georg hat recht mit seinen Lippen. Sie sind so dünn, daß sie beinahe nicht vorhanden sind.«

»Ich glaube, er ist schon in Ordnung«, sagte Julius. »Er läßt sich nur kein dummes Zeug gefallen, das ist es. Mir würde es nichts ausmachen, ihm die Leinwandrolle

zu zeigen und ihn zu bitten, daß er uns die Wörter übersetzt.«

»Warst du nicht derjenige, der gesagt hat, wir wollten es als richtiges Geheimnis hüten?« sagte Richard.

»Ich weiß schon – aber was hat das Geheimnis für einen Sinn, wenn wir es nicht lüften können?« gab Julius zu bedenken. »Aber mir fällt etwas ein – wir könnten ihn nach den Wörtern fragen, ohne ihm den Leinwandstreifen zu zeigen.«

»Aber wir können ja die Wörter selber nicht lesen«, jammerte Richard. »Das hat also keinen Zweck. Wenn – dann mußt du ihm schon das ganze Ding zeigen und ihm erzählen, woher wir es haben.«

»Ich werde es mir noch einmal überlegen«, erwiderte Julius und kroch ins Bett.

Am nächsten Tag hatten sie von halb zehn bis halb eins Unterricht. Georg erschien ohne Tim. Sie ärgerte sich aufs neue über den Zwischenfall vom Vortag und schien sehr verbittert.

In der Lateinstunde nahm Julius die Gelegenheit wahr, Herrn Roland zu fragen, was ihm auf dem Herzen lag.

»Herr Roland«, begann er, »könnten Sie mir bitte sagen, was ›via occulta‹ bedeutet?«

»Via occulta?« wiederholte der Lehrer und zog die Stirn in Falten. »Ja – es heißt ›Geheimer Weg‹ oder ›Geheime Straße‹. ›Ein verborgener Gang‹ oder so etwas Ähnliches. Warum wolltest du es wissen?«

Alle Kinder hörten mit heißen Ohren zu. Ihre Herzen schlugen heftig vor Aufregung. Julius hatte also doch recht gehabt! Der merkwürdige Leinenstreifen enthielt Anweisungen für einen geheimen Weg, einen Geheimgang – aber wo lief er und wohin führte er? Wo war sein Anfang und wo sein Ende?

»Och, ich wollte es nur wissen«, sagte Julius. »Danke, Herr Roland.«

Er blinzelte den anderen zu. Er war genauso aufgeregt wie sie. Wenn sie nun auch noch die übrigen Zeichen deuten könnten, dann wären sie vielleicht imstande, das Rätsel zu lösen. Nun – er würde Herrn Roland nach einigen Tagen noch einmal fragen. Das Geheimnis mußte auf jeden Fall enthüllt werden.

»Der Geheimweg«, sagte Julius vor sich hin, als er sich über einer Geometrieaufgabe den Kopf zerbrach. »Der Geheimgang! Ich werde ihn schon irgendwie finden.«

VII

Die Anweisung für den Geheimweg

An den folgenden Tagen hatten die Kinder nicht viel Zeit, über den Geheimgang nachzudenken, denn Weihnachten stand vor der Tür, und es gab noch viel zu tun.

Sie mußten Weihnachtskarten für ihre Mütter, Väter, Freunde und Freundinnen malen und zeichnen. Außerdem mußte das Haus geschmückt werden. Sie zogen mit Herrn Roland los, um Stechpalmenzweige zu suchen.

»Ihr seht wie bunte Weihnachtskarten aus«, sagte Tante Fanny, als sie, mit Stechpalmenzweigen beladen, den Gartenweg heraufkamen. Herr Roland hatte Mistelzweige gefunden, die Beeren daran glänzten wie grüne Perlen.

»Herr Roland mußte auf den Baum steigen, um die Misteln herunterzuholen«, sagte Anne. »Er kann klettern wie ein Affe.«

Alles lachte, nur Georg schwieg. Sie lachte niemals über Bemerkungen, die mit dem Lehrer zusammenhingen. In der Vorhalle warfen die Kinder ihre Last ab und gingen ins Haus, um sich die Hände zu waschen. Am Abend sollte dann das Haus geschmückt werden.

»Will Onkel Quentin sein Studierzimmer auch geschmückt haben?« fragte Anne. In diesem Raum lagen allerlei seltsame Instrumente und Glasröhren herum, und die Kinder betrachteten sie voller Verwunderung, wenn sie sich einmal in den Raum wagten – was aber selten genug geschah.

»Nein, in meinem Zimmer dürft ihr keine Unordnung machen«, sagte Onkel Quentin sofort. »Das kommt gar nicht in Frage.«

»Onkel, warum hast du all diese komischen Sachen in

deinem Zimmer?« fragte Anne und sah sich mit weitgeöffneten Augen um.

Onkel Quentin lachte. »Ich bin auf der Suche nach einer Geheimformel«, sagte er.

»Was ist das?« fragte Anne.

»Das verstehst du nicht«, antwortete ihr Onkel. »All diese komischen Sachen, wie du sie nennst, helfen mir bei meinen Versuchen, und ich schreibe in meinem Buch nieder, was sie mir erzählen – und aus alldem arbeite ich eine Geheimformel aus, die von Nutzen sein wird.«

»*Du* willst eine Geheimformel ausfindig machen und *wir* einen Geheimweg«, sagte Anne und vergaß vollkommen, daß sie darüber nicht sprechen sollte.

Julius stand an der Tür und blickte Anne finster an. Glücklicherweise beachtete Onkel Quentin das Geplauder des kleinen Mädchens nicht weiter. Julius zog sie aus dem Zimmer.

»Anne, du bist doch ein Schwatzmaul! Ich glaube, wir müssen dir den Mund zubinden, um dich zum Schweigen zu bringen.«

Die Köchin Johanna war mit dem Backen des Weihnachtskuchens beschäftigt. Vom »Felsenhof« war eine große fette Gans herübergeschickt worden. Jetzt hing sie in der Speisekammer. Tim stellte fest, daß sie köstlich duftete, aber Johanna jagte ihn aus der Küche. Schachteln mit Knallbonbons standen auf dem Sims im Wohnzimmer, und überall lagen geheimnisvolle Pakete. Es war schon sehr weihnachtlich. Die Kinder waren glücklich und aufgeregt.

Herr Roland ging hinaus und grub eine kleine Rottanne aus. »Wir müssen doch einen Christbaum haben«, meinte er. »Kinder, habt ihr Christbaumschmuck?«

»Nein«, sagte Julius, da Georg nur mit dem Kopf schüttelte.

»Dann werde ich heute nachmittag in die Stadt fahren und den Baumschmuck einkaufen«, versprach der Lehrer. »Das Christbaumschmücken macht besonderen Spaß. Wir werden den Baum in der Halle aufstellen und die Kerzen am Weihnachtstag anzünden. – Wer will mitkommen in die Stadt?«

»Ich!« schrien drei Kinderstimmen, aber die vierte schwieg. Das war Georg. Das widerspenstige kleine Mädchen wollte nicht einmal den Christbaumschmuck zusammen mit Herr Roland kaufen. Sie hatte noch niemals vorher einen Weihnachtsbaum gehabt und sich schon sehr darauf gefreut – aber die Freude war ihr verdorben worden, weil Herr Roland den Schmuck kaufte, der die Tanne verschönern sollte. –

Aber nun stand der Baum in der Halle, mit bunten Kerzen auf den Zweigen und glänzenden Kugeln und glitzernden Silberfäden geschmückt, die von der Spitze bis auf den Fußboden herunterreichten. Eiszapfen und versilberte Nüsse hingen an den Zweigen, und Anne hatte hier und dort Watte auf das Grün gelegt, so daß es wie Schnee aussah. Es war wirklich ein wunderschöner Anblick.

»Herrlich«, sagte Onkel Quentin, als er durch die Halle ging und dann zusah, wie Herr Roland die letzten Schmucksachen anbrachte. »Sagt – seht ihr den Rauschengel an der Spitze? Für wen wird er wohl sein? Für ein gutes kleines Mädchen?«

Anne hoffte im geheimen, daß Herr Roland ihr die Puppe geben werde. Sie war überzeugt, daß sie nicht für Georg bestimmt war – denn Georg würde sie sowieso nicht nehmen. Es war eine sehr hübsche Puppe, mit einem Kleid aus Gaze und mit silbernen Flügeln.

Julius, Richard und Anne hatten inzwischen Herrn Roland als Freund und Lehrer anerkannt. Alle – vom

Onkel bis zur Köchin Johanna – hatten sich mit ihm angefreundet. Georg bildete die einzige Ausnahme. Sie und Tim hielten sich von Herrn Roland fern.

Beide blickten unfreundlich, wenn der Lehrer im Zimmer war.

»Ich wußte nicht, daß ein Hund so mürrisch aussehen kann«, sagte Julius und beobachtete Tim. »Er blickt beinahe so finster wie Georg.«

»Und ich habe das Gefühl, als ob Georg genauso wie Tim den Schwanz hängenläßt, wenn sie mit Herrn Roland zusammen ist«, kicherte Anne.

»Lacht nur, soviel ihr wollt«, sagte Georg ärgerlich. »Ich finde, daß ihr häßlich zu mir seid. Glaubt mir nur, ich täusche mich nicht in Herrn Roland. Ich habe so ein merkwürdiges Gefühl – und Tim auch.«

»Das ist Unsinn, Georg«, sagte Richard. »Daran liegt es ja auch gar nicht – der Grund ist der, daß Herr Roland dich dauernd ›Georgina‹ nennt und dich zurechtweist – und daß er Tim nicht leiden kann. Er kann doch wirklich nichts dafür, wenn er Hunde nicht mag.«

»Es hat keinen Zweck, mit Georg zu streiten«, unterbrach ihn Julius. »Wenn sie sich etwas in den Kopf gesetzt hat, dann läßt sie sich nicht mehr davon abbringen.«

Georg verließ beleidigt das Zimmer. Die anderen fanden ihr Benehmen ziemlich albern.

»Ich verstehe das nicht«, sagte Anne. »Im Sommer war sie so lustig in der Schule. Nun ist sie wieder ganz komisch geworden, beinahe so, wie sie war, als wir sie damals kennenlernten.«

»Herr Roland war sehr hilfsbereit, beim Christbaumholen und bei all den anderen Dingen«, sagte Richard.

»Zwar mag ich ihn trotzdem manchmal nicht besonders. – Aber im Grunde ist er doch ein echter Kerl. Wie wäre es, wenn wir ihn fragten, ob er uns nicht den alten Leinenfetzen entziffern will? Es macht doch wirklich nichts aus, wenn er ihn mal genauer anguckt.«

»O ja«, sagte Anne, die gerade damit beschäftigt war, eine schöne Weihnachtskarte für ihren Lehrer auszumalen. »Er ist so furchtbar klug. Er kann uns sicher sagen, was es mit dem Geheimweg auf sich hat. – Nun kommt schon und fragt ihn.«

»Gut«, entschied Julius. »Ich werde ihm die Leinwandrolle zeigen. Heute wird er mit uns im Wohnzimmer sitzen, während Tante Fanny und Onkel Quentin im Studierzimmer unsere Geschenke einpacken.«

Am Abend breitete Julius das Stück Leinen auf dem Tisch aus. Georg blickte überrascht.

»Herr Roland wird jeden Augenblick kommen«, sagte sie. »Versteck es schnell.«

»Wir wollen ihn fragen, was die alten lateinischen Worte bedeuten«, sagte Julius.

»Wie könnt ihr nur!« rief Georg erschrocken. »Ihm unser Geheimnis verraten! Bitte, bitte nicht.«

»Wir wollen aber doch wissen, was das Geheimnis bedeutet, oder nicht?« sagte Julius. »Wir brauchen ihm ja nicht zu verraten, wo wir es gefunden haben. Er soll sich nur den Kopf zerbrechen und uns beim Entziffern helfen.«

»Ich hätte wirklich nicht erwartet, daß du ausgerechnet *ihn* fragen würdest«, sagte Georg. »Er wird einfach alles wissen wollen. Er ist ein ekelhafter Schnüffler.«

»Was meinst du damit?« fragte Julius überrascht. »Er schnüffelt doch nie herum.«

»Doch«, entgegnete Georg. »Ich sah ihn gestern im Studierzimmer herumsuchen, als niemand dort war. Er konnte mich nicht sehen, denn ich stand mit Tim draußen vor dem Fenster. Er hat seine Nase überall hineingesteckt.«

»Du weißt doch selber, wie er sich für die Arbeit deines Vaters interessiert«, sagte Julius. »Warum sollte er sie nicht ansehen? Dein Vater kann ihn doch gut leiden. Du suchst nur nach faulen Gründen, um etwas Schlechtes über Herrn Roland zu sagen.«

»Hört bloß auf, ihr beiden!« fuhr Richard dazwischen. »Heute ist Weihnachten. Da zankt man sich doch nicht.«

Gerade in dem Augenblick kam der Hauslehrer ins Zimmer. »Alle so fleißig wie die Bienen?« fragte er und lächelte unter seinem Schnurrbart hervor. »Wahrscheinlich seid ihr viel zu beschäftigt, um mit mir Karten zu spielen, was?«

»Herr Roland«, begann Julius, »könnten Sie mir bitte helfen? Wir haben einen Leinwandstreifen mit alten Aufzeichnungen gefunden. Die Worte scheinen Latein zu sein, und wir können aus ihnen nicht klug werden.«

Ein ärgerlicher Ausruf kam aus Georgs Richtung, als sie sah, wie Julius dem Lehrer die Leinwandrolle zuschob. Sie verließ das Zimmer und knallte die Tür hinter sich zu.

»Unsere süße Georgina scheint heute abend nicht besonders guter Laune zu sein«, bemerkte Herr Roland und zog die Leinwand zu sich herüber: »Wo, um alles in der Welt, habt ihr das nur her? Was für ein merkwürdiges Ding!«

Niemand antwortete. Herr Roland studierte den Leinwandfetzen und rief dann aus: »Aha, jetzt weiß ich auch, warum ihr jene lateinischen Wörter von mir übersetzt haben wolltet. ›Der Geheimweg‹ – wißt ihr noch? Sie stehen hier oben.«

»Ja«, sagte Richard. Die Kinder beugten sich weit vor und hofften, daß Herr Roland das Rätsel wenigstens zum Teil lösen könne.

»Wir wollen nur die Bedeutung der Wörter wissen, Herr Roland«, sagte Julius.

»Das ist wirklich sehr interessant«, sagte der Lehrer, ohne auf Julius zu hören, und versank in tiefes Nachdenken. Dann sagte er: »Anscheinend ist es eine Anweisung, wie die Öffnung oder der Eingang zu einem geheimen Weg oder Gang zu finden ist.«

»Genau das haben wir auch gedacht!« schrie Julius aufgeregt. »Genau dasselbe! Oh, Herr Roland, bitte lesen Sie die Anleitungen und sehen Sie zu, was Sie herausfinden können.«

»Ich nehme an, daß diese acht Quadrate hier Holzbretter oder eine getäfelte Wand vorstellen sollen«, sagte der Lehrer und deutete auf die Leinwand. »Wartet mal – ich kann die Worte kaum lesen. Das ist ja höchst aufregend. – Solum lapideum paries ligneus – und was heißt das hier? Cellula –, ja cellula.«

Die Kinder hingen gespannt an seinen Lippen. »Holztäfelung«. Das bezog sich sicher auf das Bauernhaus im »Felsenhof«!

Herr Roland zog die Stirn in Falten und blickte auf die alten vergilbten Buchstaben. Dann mußte Anne von Onkel Quentin ein Vergrößerungsglas holen. Alle sahen gespannt durch das Glas. Die Wörter waren jetzt dreimal so groß und viel deutlicher zu erkennen.

»Nun«, sagte der Lehrer endlich, »soweit ich mich auskenne, lauten die Anweisungen folgendermaßen: ein Raum, der nach Osten liegt, acht Felder in einer getäfelten Wand, von denen eines mit einer Öffnung versehen ist, und ein Steinfußboden – ja, ich glaube, so ist es – ein Steinfußboden –, und außerdem noch ein

Schrank. – Das hört sich alles außergewöhnlich und spannend an. Wo habt ihr das Ding gefunden?«

»Wir haben es einfach gefunden«, sagte Julius nach einer kleinen Pause. »Vielen Dank, Herr Roland. Wir hätten es nie von alleine herausbekommen. – Der Eingang zu dem Geheimnis befindet sich also in einem Raum, der nach Osten liegt?«

»Es scheint so«, sagte Herr Roland und vertiefte sich wieder in den Leinwandstreifen. »Wo, sagtest du, habt ihr es gefunden?«

»Wir haben es nicht gesagt«, bemerkte Richard. »Es ist eine Art Geheimnis, wissen Sie.«

»Ihr könnt es mir ruhig anvertrauen«, sagte Herr Roland und sah Richard mit seinen blauen Augen an. »Bei mir sind Geheimnisse sicher. Ihr habt ja keine Ahnung, wie viele merkwürdige Geheimnisse ich kenne!«

»Also gut«, sagte Julius, »ich sehe eigentlich keinen Grund, warum Sie es nicht wissen sollten, Herr Roland. Wir fanden die Karte im Bauernhaus auf dem ›Felsenhof‹, in einem alten Tabaksbeutel. Der Geheimgang beginnt sicherlich in der Nähe vom ›Felsenhof‹. Wo mag er nur hinführen?«

»Ihr habt das auf dem ›Felsenhof‹ gefunden!?« rief Herr Roland aus. »Sieh mal an – ich muß schon sagen, daß das ein sehr interessantes altes Gebäude ist. Ich werde einmal hinübergehen.«

Julius rollte die Leinwand wieder zusammen und steckte sie in die Tasche. »Also noch einmal vielen Dank, Herr Roland«, sagte er. »Sie haben einen Teil des Rätsels für uns gelöst – aber gleichzeitig haben Sie uns eine neue Aufgabe gestellt. Wir müssen den Zutritt zu dem Geheimgang gleich nach Weihnachten suchen, wenn wir wieder nach dem ›Felsenhof‹ hinüber können.«

»Ich werde mit euch kommen«, sagte Herr Roland.

»Vielleicht kann ich euch behilflich sein. Das heißt natürlich nur, wenn es euch nichts ausmacht, euer Geheimnis ein klein wenig mit mir zu teilen.«

»Hm – Sie haben uns geholfen, indem Sie uns die Wörter erklärten«, sagte Julius, »wenn es Ihnen Spaß macht, kommen Sie nur mit.«

»O ja, bitte«, sagte Anne.

»Dann werden wir alle zusammen gehen und den Geheimgang suchen«, sagte Herr Roland. »Das wird ein

Spaß. Wir werden die Täfelung abklopfen und auf das Auftauchen eines geheimnisvollen, dunklen Eingangs warten. Ha, ha, ha!« Er lachte herzlich.

»Ich glaube nicht, daß Georg mitkommen wird«, murmelte Richard seinem Bruder zu. »Du hättest Herrn Roland nicht einladen dürfen, Julius, denn das bedeutet, daß unser alter Georg nicht mitmachen wird. Und du weißt ganz genau, wie sie darunter leidet.«

»Ich weiß schon«, sagte Julius, der sich nicht sehr wohl in seiner Haut fühlte. »Aber wir brauchen uns ja nicht schon jetzt Sorgen darüber zu machen. Vielleicht hat Georg es sich bis Weihnachten anders überlegt. Sie kann sich ja nicht immer so benehmen.«

VIII

Was in der Nacht geschah

War das ein Jubel am Weihnachtsmorgen! Die Kinder wachten früh auf und purzelten aus den Betten, um sich die Geschenke anzusehen, die Tante Fanny und Onkel Quentin aufgebaut hatten.

»Oh, ein Bahnhof! Und gerade der, den ich mir schon immer wünschte! Wer hat mir nur diesen wunderschönen Bahnhof geschenkt?«

»Eine neue Puppe – mit Schlafaugen! – Ich werde sie Maria taufen.«

»Und hier – was für ein mächtig dickes Buch! Alles über Flugzeuge! Von Tante Fanny. Das ist wirklich nett von ihr.«

»Tim, sieh nur, was Julius dir geschenkt hat! Ein Halsband mit großen Messingknöpfen ringsherum – na, du wirst vielleicht vornehm aussehen! Geh, gib ihm Pfötchen und bedank dich schön!«

»Von wem ist denn das? Von wem ist das nur? Wo ist der Zettel? – Ah, von Herrn Roland. Das ist großartig von ihm! Sieh mal her, Julius, ein Taschenmesser mit drei Klingen!«

So riefen und jubelten sie durcheinander, und die aufgeregten Kinder und der ebenso aufgeregte Hund freuten sich riesig beim Auspacken all der vielen Pakete. Die Schlafzimmer waren in einer unvorstellbaren Unordnung, als die Kinder alles ausgepackt hatten.

»Von wem hast du das Hundebuch, Georg?« fragte Julius, der es in Georgs Geschenkecke liegen sah.

»Von Herrn Roland«, sagte Georg kurz.

Julius wunderte sich, daß es Georg überhaupt annahm. Er konnte es kaum glauben. Aber das kleine

Mädchen, so trotzig und widerspenstig es auch war, hatte den schwerwiegenden Entschluß gefaßt, das Weihnachtsfest nicht mit »Schwierigkeiten« zu verderben.

Und so schloß sich Georg den anderen an und bedankte sich bei Herrn Roland für das Geschenk.

Alle hatten ihrem Hauslehrer etwas geschenkt, nur Georg nicht, und er dankte ihnen herzlich und schien wirklich sehr erfreut zu sein. Zu Anne sagte er, daß ihre Weihnachtskarte die hübscheste sei, die er jemals bekommen habe. Entzückt strahlte sie ihn an.

»Ich muß sagen, es ist wirklich sehr schön, Weihnachten hier zu feiern«, sagte Herr Roland, als alle um die mit leckeren Speisen bedeckte Mittagstafel saßen. »Darf ich Ihnen das Aufschneiden des Bratens abnehmen?« wandte er sich an Onkel Quentin. »Ich kann es gut.«

Onkel Quentin übergab ihm Messer und Gabel nur zu gerne.

»Ich freue mich, daß Sie hier sind«, sagte er herzlich. »Ich habe das Gefühl, daß Sie sich schon gut eingelebt haben.«

Es war wirklich ein fröhliches Weihnachtsfest. An diesem und dem folgenden Tag hatten die Kinder selbstverständlich keinen Unterricht. Sie gaben sich ganz dem Vergnügen hin, viel essen zu können, Bonbons zu lutschen, Süßigkeiten zu schlecken und den Weihnachtsbaum zu bewundern.

Wenn alle Kerzen brannten, sah es besonders schön aus. Warm strahlten sie in der dunklen Halle, und der Christbaum glänzte und glühte im Kerzenschein. Tim saß dabei und bestaunte den Lichterglanz. »Ihm gefällt es genauso gut wie uns«, sagte Georg. –

Am Abend fielen die Kinder vor Müdigkeit fast ins Bett. »Ich werde bald eingeschlafen sein«, gähnte Anne.

»Oh, Georg – das war schön, nicht wahr? Mir hat der Christbaum soooo gut gefallen.«

»Ja, es war wunder-, wunderschön«, bestätigte Georg und hüpfte ins Bett. »Mutti sagt uns noch gute Nacht. – Körbchen, Tim, Körbchen!«

Tim sprang in sein Körbchen am Fenster. Dort hielt er sich immer auf, wenn Georgs Mutter heraufkam, um gute Nacht zu wünschen – aber sobald sich die Tür wieder hinter ihr geschlossen hatte, sprang Tim mit einem großen Satz auf Georgs Bett. Dort schlief er dann ein. Sein Kopf lag auf Georgs Beinen.

»Meinst du nicht, daß es besser wäre, wenn Tim heute nacht unten schliefe?« fragte ihre Mutter. »Johanna sagte mir, daß er sehr viel gefressen habe und sich wahrscheinlich übergeben müsse.«

»Ach nein, bitte nicht, Mutti«, sagte Georg sofort. »Tim soll heute unten schlafen? Ausgerechnet in der Christnacht? Was würde er von mir denken?«

»Na schön«, sagte ihr Mutter lachend. »Ich hätte mir denken können, daß es zwecklos ist, den Vorschlag überhaupt zu machen! – Nun schlaft aber schnell ein, Kinder – es ist schon spät, und ihr seid sicher sehr müde.«

Dann ging sie in das Jungenzimmer hinüber und sagte dort ebenfalls gute Nacht. Julius und Richard murmelten nur noch müde.

Zwei Stunden später lag alles in tiefem Schlaf. Georg und Anne lagen friedlich in ihren kleinen Betten. Tim träumte zu Georgs Füßen.

Plötzlich wachte Georg auf. Tim hatte leise geknurrt. Lauschend hob er den großen Kopf.

»Was ist los, Tim«, flüsterte sie. Anne atmete tief und ruhig. Wieder knurrte Tim. Georg richtete sich auf und faßte ihn am Halsband, um ihn zum Schweigen zu bringen. Wenn Vater davon wach würde, wäre er böse.

Tim hörte auf zu knurren. Denn er hatte seinen Zweck erreicht: Seine Herrin war wach geworden. Georg saß im Bett und überlegte, was sie tun sollte. Anne zu wecken, hatte keinen Sinn. Das kleine Mädchen würde sich nur ängstigen. Aber warum hatte Tim geknurrt? Das hatte er doch nachts noch nie getan. Da kann doch was nicht stimmen.

›Ich werde mich lieber umsehen, ob alles in Ordnung ist‹, dachte Georg. Der Gedanke, allein durch das ruhige dunkle Haus zu schleichen, störte sie nicht im geringsten. Außerdem hatte sie ja Tim! Da brauchte man sich wirklich nicht zu fürchten.

Georg zog sich den Morgenrock über. ›Vielleicht ist eines der Holzscheite aus dem Kamin gefallen, und der Teppich hat Feuer gefangen‹, dachte sie, als sie die Treppe hinunterstieg und die Luft in die Nase sog. Sie legte ihre Hand auf Tims Kopf, um ihn zu beruhigen, und tappte leise durch die Halle ins Wohnzimmer. Das Feuer dort war in Ordnung, es glimmte nur noch schwach. In der Küche war es ebenso.

Da drang ein schwaches Geräusch von der anderen Seite des Hauses herüber. Tim knurrte ziemlich laut, und die Haare auf seinem Rücken sträubten sich. Georg verhielt sich ganz still. Einbrecher?

Plötzlich schüttelte Tim ihre Hand von sich ab und setzte quer durch die Halle, den Gang entlang aufs Studierzimmer zu. Sie hörte einen Ausruf und einen dumpfen Fall.

»Es ist ein Einbrecher!« sagte Georg und rannte dem Hund nach. Auf dem Fußboden des Studierzimmers lag eine brennende Taschenlampe. Sie gehörte offensichtlich einem Mann, der jetzt mit dem Hund kämpfte. Georg schaltete das Licht an und schaute überrascht auf die Szene, die sich ihr bot. Herr Roland rollte sich im

Schlafrock und in Pantoffeln auf dem Boden und versuchte, Tim abzuwehren, der – obwohl er nicht biß – ihn am Schlafrock gepackt hielt.

»Ach, du bist's, Georg! Rufe sofort deinen gräßlichen Hund zurück!« zischte Herr Roland leise mit wütender Stimme. »Soll er das ganze Haus aufwecken?«

»Warum schleichen Sie um Mitternacht mit einer Taschenlampe hier im Haus herum?« fragte Georg herausfordernd.

»Ich hörte ein Geräusch und wollte nachsehen, was los war«, sagte Herr Roland und richtete sich auf, während er versuchte, den gereizten Hund abzuschütteln. »Um Himmels willen, ruf doch das Biest zurück!«

»Warum haben Sie denn nicht das Licht angedreht?« fragte Georg weiter und machte nicht den geringsten Versuch, Tim abzurufen. Der Anblick des ärgerlichen und ängstlichen Herrn Roland machte ihr Spaß.

»Ich konnte den Schalter nicht finden«, sagte der Lehrer. »Er ist an der falschen Seite der Tür, wie du siehst.«

Das stimmte. Der Lichtschalter war schwierig zu finden, wenn man seinen Platz nicht genau wußte. Herr Roland versuchte, Tim wegzuschieben. Da fing der Hund plötzlich an zu bellen.

»Er wird alle aufwecken«, sagte der Lehrer wütend. »Das wollte ich gerade vermeiden. Ich hätte den Grund der Störung schon allein gefunden – ich dachte, es seien Einbrecher. – Da kommt dein Vater!«

Georgs Vater trug einen schweren Feuerhaken in der Hand. Er war mehr als erstaunt, als er Herrn Roland am Boden liegen und Tim über ihm stehen sah.

»Was soll das heißen?« rief er aus. Herr Roland versuchte aufzustehen, aber Tim ließ es nicht zu. Georgs Vater gab ihm in scharfen Worten einen Befehl.

»Tim! Komm sofort her, du Köter!«

Tim warf seiner Herrin schnell einen Blick zu, um sich zu vergewissern, ob auch sie mit dem Befehl einverstanden sei. Sie sagte nichts. Und so kümmerte sich auch Tim nicht darum und schnappte nur noch fester nach Herrn Rolands Knöcheln.

»Der Hund ist tollwütig«, rief Herr Roland vom Boden her. »Er hat mich schon einmal gebissen, und jetzt versucht er es wieder.«

»Tim! Wirst du wohl sofort herkommen, du Biest?« schrie jetzt Georgs Vater. »Georg! Der Hund ist wirklich ungehorsam. Rufe ihn sofort zurück!«

»Komm her, Tim«, sagte Georg leise. Das Tier gehorchte sofort und stellte sich neben sie, während sich seine Haare noch immer sträubten.

Der Lehrer stand auf. Er war sehr böse. Er wandte sich an Georgs Vater: »Ich hörte ein Geräusch und kam mit meiner Taschenlampe herunter, um nachzusehen, was los wäre. Ich dachte, der Laut sei aus Ihrem Studierzimmer gekommen. Da ich weiß, daß Sie Ihre wertvollen Bücher und Instrumente dort aufbewahren, hätte es sein können, daß ein Dieb sich dort hineingewagt hatte. Ich war gerade unten, als dieser Hund hier aus dem Dunkel auftauchte und mich umwarf. Georg kam auch dazu, aber es fiel ihr nicht ein, das Tier zurückzurufen.«

»Ich kann dein Benehmen nicht verstehen«, zürnte ihr Vater. »Stimmt es, daß Tim Herrn Roland schon einmal gebissen hat?«

»Georg hatte ihn während des Unterrichts unter dem Tisch versteckt«, sagte Herr Roland. »Ich wußte es nicht, und als ich meine Beine ausstreckte, berührte ich ihn aus Versehen, und er biß mich.«

»Von nun an bleibt Tim in der Hundehütte«, ordnete Georgs Vater an. »Ich will ihn nicht mehr im Hause haben. Das ist eine Strafe für ihn – und für dich, Georg. Ich werde diese Ungezogenheiten nicht länger dulden. Herr Roland ist zu euch immer nett gewesen.«

»Tim kann nicht draußen bleiben«, begehrte Georg auf. »Es ist so kalt, und – es würde ihm das Herz brechen.«

»Na schön, dann muß sein Herz eben brechen«, sagte ihr Vater. »Von nun an hängt es ganz von deinem Benehmen ab, ob Tim in den Ferien ins Haus darf oder nicht. Ich werde Herrn Roland jeden Tag fragen, wie du dich benommen hast. Fällt der Bericht schlecht aus, dann bleibt Tim draußen. – Aber entschuldige dich zuerst bei Herrn Roland.«

»Nein«, rief Georg und stürzte, vor Wut und Ärger beinahe erstickend, aus dem Zimmer und floh die Treppen hinauf. Die beiden Männer blickten ihr nach.

»Lassen Sie das Mädchen nur«, sagte Herr Roland. »Es ist ein schwieriges Kind – und hat sich in den Kopf gesetzt, mich nicht zu mögen – das ist nun klar. Aber ich bin sehr froh, daß der Hund nicht mehr im Hause ist. Ich weiß nicht recht, ob Georgina ihn nicht doch einmal auf mich hetzen würde, wenn sie könnte.«

»Der Zwischenfall tut mir sehr leid«, sagte Onkel Quentin. »Ich möchte nur wissen, was für ein Geräusch Sie gehört hatten – wahrscheinlich war es ein Scheit Holz im Kamin. Was soll ich nur mit dem lästigen Hund heute nacht anfangen? Am besten sperre ich ihn aus.«

»Lassen Sie ihn heute hier«, sagte Herr Roland. »Ich höre oben sprechen. Die anderen sind jetzt auch alle wach. Wir wollen die Nachtruhe nicht weiter stören.«

»Ja – Sie haben recht«, sagte Onkel Quentin dankbar.

Die beiden Männer gingen wieder ins Bett und schliefen.

Georg konnte nicht schlafen. Als sie wieder nach oben gekommen war, lagen die anderen wach, und sie erzählte ihnen, was sich ereignet hatte.

»Georg, du siehst wirklich Gespenster«, sagte Richard. »Überhaupt – warum soll Herr Roland nicht hinuntergehen, wenn er ein verdächtiges Geräusch hört? Du bist doch auch hinuntergegangen. – Ach, jetzt muß unser guter, alter Tim hinaus in die eisige Kälte. Es ist zum Heulen!«

Anne brach in Tränen aus. »Sei kein Säugling«, sagte Georg. »Ich weine ja auch nicht, und es ist *mein* Hund.«

Aber als alle sich wieder beruhigt hatten und friedlich schliefen, war Georgs Kissen von Tränen ganz naß. Tim kroch neben sie und leckte ihr die salzigen Tropfen von den Backen. Er winselte leise. Denn Tim war immer unglücklich, wenn seine kleine Herrin traurig war.

IX

Die Jagd nach dem Geheimgang

Am nächsten Tag hatten sie keinen Unterricht. Georg sah ziemlich blaß aus und war sehr schweigsam. Tim war bereits draußen in der Hundehütte, und die Kinder konnten sein unglückliches Gewinsel hören. Das brachte Georg vollends aus der Fassung.

»Ach, Georg, es tut mir so leid«, sagte Richard. »Ich wünschte wirklich, daß du nicht immer gleich so wild würdest. Du bereitest dir nur selber Verdruß – und der arme, alte Tim!«

Georg war mit sich selbst nicht im reinen. Herrn Rolands Anblick konnte sie kaum noch ertragen. Aber sie wagte es doch nicht, offen frech und aufsässig zu sein, weil sie befürchtete, der Lehrer werde es sofort ihrem Vater berichten – und der würde ihr dann vielleicht sogar verbieten, Tim auch nur zu *sehen.* Aber einer so trotzigen Natur wie Georg fiel es natürlich sehr schwer, sich anständig zu benehmen.

Herrn Roland beachtete sie überhaupt nicht. Die anderen Kinder versuchten, das Mädchen in ihre Gespräche und Pläne einzubeziehen, aber sie blieb schweigsam und teilnahmslos.

»Georg! Wir gehen heute zum ›Felsenhof‹ hinüber«, sagte Richard. »Gehst du mit? Wir wollen den Eingang zum Geheimweg suchen. Irgendwo muß der Gang ja schließlich beginnen.«

Die Kinder hatten Georg erzählt, was ihnen Herr Roland über den Leinwandstreifen mitgeteilt hatte. Das hatte sie alle sehr erregt, nur die vielen Vorbereitungen für Weihnachten hatten ihre Pläne eine Zeitlang zurückgedrängt.

»Ja, natürlich gehe ich mit«, sagte Georg und sah dabei etwas freundlicher aus. »Tim kommt auch mit. Er will spazierengehen.«

Aber als das kleine Mädchen bemerkte, daß Herr Roland sich anschloß, änderte sie ihren Entschluß sofort. Nichts konnte sie veranlassen, mit dem Lehrer auszugehen. – Nein, sie würde allein mit Tim spazierengehen.

»Aber Georg, stell dir doch nur die Aufregung vor,

wenn wir den Geheimgang suchen«, sagte Julius und hielt sie am Arm fest. Georg entwand sich ihm.

»Ich gehe nicht mit, wenn der Lehrer dabei ist«, sagte sie widerspenstig, und die anderen merkten, daß weitere Überredungskünste zwecklos waren.

»Ich werde allein mit Tim einen Spaziergang machen«, sagte sie böse. »Geht ihr nur mit eurem geliebten Herrn Roland!«

Sie machte sich mit Tim auf den Weg, und ihre kleine Gestalt verschwand am Ende des Gartenweges. Die anderen blickten ihr traurig nach. Das war scheußlich. Georg wurde mehr und mehr von allem ausgeschlossen, aber wie sollten *sie* es ändern können?

»Nun, Kinder, seid ihr fertig?« fragte Herr Roland. »Geht bitte voraus. Ich werde euch im Bauernhaus treffen. Ich muß erst noch im Dorf etwas holen.«

So machten sich die drei Kinder allein auf den Weg und hatten nur den einen Wunsch, daß Georg bei ihnen wäre. Sie war aber nirgends zu sehen.

Herr und Frau Sanders freuten sich sehr, die drei Kinder wiederzusehen. Sie mußten gleich mit in die große Küche kommen, wo sie Sirupbrote und heiße Milch verzehrten.

»Na, seid ihr gekommen, um noch mehr Geheimnisse zu entdecken?« fragte Frau Sanders lächelnd.

»Dürfen wir es noch einmal versuchen?« fragte Julius. »Wir suchen ein Zimmer, das nach Osten liegt, einen Steinboden hat und getäfelt ist.«

»Alle Räume hier haben Steinboden«, sagte Frau Sanders. »Ihr könnt alles durchstöbern, wenn ihr wollt. Ich weiß, daß ihr nichts kaputtmacht. Aber geht nicht in das Zimmer nebenan. Das und das nächste sind nämlich die Räume, in denen die beiden Maler einquartiert sind.«

»In Ordnung«, sagte Julius, der es sehr bedauerte, daß sie nicht wieder mit dem aufregenden Schrank spielen konnten. »Sind denn die Maler schon hier, Frau Sanders? Ich möchte so gerne mit ihnen wegen der Bilder sprechen, ich will nämlich auch Maler werden.«

»Ach, wirklich?« sagte die alte Frau. »Sieh mal einer an! Es nimmt mich wunder, wie manche Leute mit Bildermalen überhaupt Geld verdienen können.«

»Künstler denken nicht nur ans Geldverdienen. Das Malen ist ihnen das Wichtigste«, sagte Julius und sah sehr klug und weise aus. Das erschien Frau Sanders nur noch rätselhafter. Sie schüttelte den Kopf und lachte.

»Ihr seid schon ein verrücktes Volk«, sagte sie. »Aber ich will euch jetzt nicht aufhalten – geht nur – sucht, sucht, was ihr finden wollt. Du kannst heute sowieso nicht mit den beiden Malern sprechen, Julius. Sie sind ausgegangen.«

Die Kinder aßen ihre Brote, tranken ihre Milch und standen dann vom Tisch auf. Sie überlegten, wo sie mit der Suche beginnen sollten.

»Welche Seite des Hauses liegt nach Osten, Frau Sanders?« fragte Julius. »Wissen Sie es zufällig?«

»Die Küche liegt genau nach Norden«, sagte die alte Frau. »Demnach ist dort Osten.» Sie deutete nach rechts.

»Danke«, sagte Julius höflich. »Vorwärts, kommt mit, meine Lieben!« Die drei Kinder verließen die Küche und wandten sich nach rechts. Dort lagen drei Räume und eine Art Wasch- oder Spülküche, die aber nicht mehr oft benutzt wurde, ferner ein kleiner Raum, der als Rumpelkammer diente, außerdem ein ehemaliges Wohnzimmer, das jetzt kalt und verlassen stand.

»Überall ist Steinfußboden«, stellte Julius fest.

»Dann werden wir eben alle drei Räume durchstöbern«, sagte Anne.

»Nein«, bremste Julius. »Wir werden zum Beispiel nicht in der Spülküche nachsuchen.«

»Warum nicht?« wollte Anne wissen.

»Weil die Wände aus Stein sind, Dummkopf, und wir brauchen getäfelte Wände«, sagte Julius. »Denk doch selber mal ein wenig nach, Anne.«

»Fein, das ist schon ein Raum weniger.« Richard rieb die Hände. »Sieh her – die Rumpelkammer und das alte Wohnzimmer haben beide getäfelte Wände. Wir müssen also in beiden nachsuchen.«

»Es muß irgendeinen Grund haben, daß gerade acht Quadrate aufgezeichnet sind«, sagte Julius nachdenklich und betrachtete sich erneut den Leinwandstreifen. »Wir suchen also am besten nach einem Platz, der acht Quadrate auf einmal aufweist – du weißt, was ich meine – über einem Fenster oder so.«

Die Suche war sehr aufregend. Die Kinder begannen mit dem kleineren Raum. Die Wände waren mit dunklem Eichenholz getäfelt, aber nirgends sahen sie eine Stelle, wo sich nur acht Tafeln befanden. Deshalb gaben die Kinder die Suche hier bald auf und gingen in das nächste Zimmer.

Dort war die Täfelung anders. Sie schien nicht so alt zu sein. Die Quadrate hatten auch eine andere Größe. Die Kinder tasteten und drückten an jede Tafel und warteten jeden Augenblick darauf, daß eine der Tafeln zurückgleiten würde wie jene in der Halle. Aber sie wurden enttäuscht.

Es geschah gar nichts.

Sie waren noch mitten im Suchen, als sie Schritte und Stimmen in der Halle vernahmen. Jemand schaute in das alte Wohnzimmer. Es war ein großer, hagerer Mann, der eine Brille auf seiner langen Nase trug.

»Guten Tag«, sagte er. »Frau Sanders erzählte mir,

daß ihr auf der Suche seid nach einem Schatz oder etwas Ähnlichem. Geht es vorwärts?«

»Nicht sehr schnell«, antwortete Julius höflich. Er blickte zu dem Manne auf und sah hinter ihm einen zweiten stehen, der jünger war und einen großen Mund und ziemlich hervortretende Augen hatte. »Sind Sie die beiden Maler?« fragte er.

»Ja«, sagte der erste und trat vollends ins Zimmer. »Wonach sucht ihr denn eigentlich?«

Julius wollte es ihm nicht erzählen, aber das erwies sich als schwierig. »Ach, wir sehen nur nach, ob hier eine gleitende Täfelung vorhanden ist«, sagte er schließlich. »Wir fanden eine in der Halle. Es ist aufregend, so herumzustöbern.«

»Sollen wir helfen?« fragte der erste Maler. »Wie heißt ihr? Ich heiße Thoma, und mein Freund heißt Wilder.«

Die Kinder unterhielten sich eine Weile höflich mit den beiden Männern und wünschten im geheimen, daß die Maler das Angebot nicht ernst genommen hätten. Wenn etwas zu finden war, dann wollten sie selbst es finden. Die ganze Freude wäre ihnen verdorben, wenn Erwachsene das Rätsel lösten.

Bald waren alle eifrig damit beschäftigt, die hölzernen Wände abzuklopfen. Sie waren mitten in der Arbeit, als eine Stimme sie begrüßte.

»Hallo, guten Tag! Meine Güte – seid ihr fleißig!«

Die Kinder drehten sich um und sahen ihren Lehrer in der Tür stehen, der sie anlächelte. Die beiden Maler blickten ihn an.

»Ist das ein Freund von euch?« fragte Herr Thoma.

»Ja – es ist unser Hauslehrer, er ist sehr nett«, sagte Anne freundlich lächelnd, lief zu Herrn Roland und gab ihm ihre Hand.

»Würdest du mich vorstellen, Anne?« sagte Herr Roland und lächelte das kleine Mädchen an. Anne hatte ihrer Mutter oft zugesehen, wenn sie Fremde einander vorstellte. »Dies ist Herr Roland«, sagte sie zu den beiden Malern. »Dies ist Herr Thoma«, fuhr sie fort und wies mit der Hand auf ihn, »und der andere ist Herr Wilder.«

Die Männer verbeugten sich voreinander und neigten den Kopf.

»Wohnen Sie hier?« fragte Herr Roland. »Ein sehr schönes altes Bauernhaus, nicht wahr?«

»Wir müssen doch noch nicht gehen, oder?« fragte Julius, der eine Uhr schlagen hörte.

»Ich fürchte, doch«, sagte Herr Roland. »Ich bin später gekommen, als ich dachte. In etwa fünf Minuten müssen wir aufbrechen – auf keinen Fall später. Ich werde euch nur schnell helfen, den geheimnisvollen Weg zu finden.«

Aber soviel sie auch die Wand abtasteten und auf die Täfelung drückten – in beiden Zimmern –, sie konnten nichts ausfindig machen. Das war wirklich eine große Enttäuschung.

»Jetzt müssen wir aber gehen«, sagte Herr Roland. »Kommt und sagt Frau Sanders ›Auf Wiedersehen‹!«

Sie gingen alle in die warme Küche, wo Frau Sanders gerade eine köstlich duftende Mahlzeit bereitete.

»Ist das unser Mittagessen, Frau Sanders?« fragte Herr Wilder. »Meine Hochachtung! Sie sind eine wundervolle Köchin!«

Frau Sanders lächelte. Dann wandte sie sich an die Kinder. »Nun, ihr Lieben, habt ihr gefunden, was ihr finden wolltet?«

»Nein«, antwortete Herr Roland für die anderen. »Es war uns nicht möglich, den Geheimgang zu entdecken.«

»Den Geheimgang?« fragte Frau Sanders überrascht. »Was wißt denn ihr davon? Ich dachte, das sei längst vergessen – ich muß sogar gestehen, daß ich niemals an das Vorhandensein eines geheimen Ganges geglaubt habe.«

»Oh, Frau Sanders – Sie wissen also darüber Bescheid?« schrie Julius. »Wo ist er?«

»Das weiß ich nicht, mein Junge. – Das Geheimnis ist schon vor langer Zeit verlorengegangen«, sagte die alte Frau. »Ich erinnere mich noch, daß meine Großmutter mir etwas darüber erzählte, als ich noch jünger war als ihr jetzt. Aber ich habe mich damals nicht für solche Dinge interessiert. Ich war mehr für Kühe und Hühner und Schafe zu haben.«

»Oh, Frau Sanders – versuchen Sie doch, sich zu erinnern, bitte, bitte«, bettelte Richard. »Wo befand sich der Geheimgang?«

»Man hat angenommen, daß es einen verborgenen Weg gäbe, der von diesem Bauernhaus irgendwohin führte«, sagte die alte Frau. »Ich weiß aber ganz bestimmt nicht, wo. Er wurde in früheren Zeiten benutzt, um sich vor Feinden zu verstecken.«

Es herrschte allgemeine Enttäuschung darüber, daß Frau Sanders so wenig wußte. Die Kinder sagten »Auf Wiedersehen« und verließen das Haus zusammen mit ihrem Lehrer.

Georg war schon zu Hause, als sie das Felsenhaus erreichten. Ihre Backen waren nicht mehr so blaß, und sie begrüßte die Kinder ganz aufgeregt.

»Habt ihr etwas entdeckt? Ich müßt mir alles erzählen«, sagte sie.

»Da ist nichts weiter zu erzählen«, begann Richard ziemlich niedergeschlagen. »Wir fanden drei Räume, die nach Osten gehen, Steinfußboden haben, und zwei von ihnen hatten getäfelte Wände. Wir haben alles abgetastet und beklopft – aber ohne Erfolg.«

»Wir sahen die beiden Maler«, sagte Anne. »Einer war lang und dünn und hatte eine lange Nase und eine Brille. Der andere war jünger und hatte Froschaugen und einen Riesenmund.«

»Ich habe die beiden draußen getroffen«, berichtete

Georg. »Es müssen die beiden Maler gewesen sein. Herr Roland war mit ihnen zusammen, und sie unterhielten sich. Sie haben mich nicht bemerkt.«

»Dann können es nicht die beiden Maler gewesen sein«, entgegnete Anne sofort. »Herr Roland kannte sie nicht. Ich habe ihn den beiden Malern erst vorgestellt.«

»Ich weiß aber bestimmt, daß Herr Roland den einen der beiden ›Wilder‹ nannte«, entgegnete Georg verwirrt. »Er *muß* sie gekannt haben.«

»Das können nicht die beiden Maler gewesen sein«, wiederholte Anne. »Sie haben Herrn Roland wirklich nicht gekannt. Herr Thoma fragte, ob er ein Freund von uns sei.«

»Ich bin überzeugt, daß ich mich nicht geirrt habe«, sagte Georg heftig. »Wenn Herr Roland sagte, daß er die Maler nicht kenne, dann hat er eben gelogen.«

»Oh, du – du sagst immer etwas Abscheuliches von ihm«, rief Anne entrüstet. »Du erfindest all diese gräßlichen Dinge.«

»Pst!« machte Julius. »Er kommt.«

Die Tür öffnete sich, und der Hauslehrer trat ein.

»Nun«, sagte er, »es war wirklich eine Enttäuschung, daß wir den Geheimgang nicht finden konnten, nicht wahr? Es war sowieso dumm von uns, im Wohnzimmer herumzusuchen – die Holztäfelung dort ist nicht sehr alt – sie muß viel später eingebaut worden sein.«

»Na, schön – dann hat es keinen Zweck, dort noch einmal nachzusehen«, sagte Julius enttäuscht. »Und in dem anderen kleinen Raum werden wir bestimmt auch nichts finden. Wir haben jeden Fleck abgeklopft. Ist das eine Enttäuschung, nicht wahr?«

»Ja, wirklich«, stimmte ihm Herr Roland bei. »Sag mal, wie haben dir die beiden Maler gefallen? Ich habe mich gefreut, sie zu treffen – sie scheinen nette Kerle zu sein, und ich freue mich schon darauf, sie näher kennenzulernen.«

Georg sah den Lehrer forschend an. War es möglich, daß er so ruhig lügen konnte? Das Mädchen stand vor einem Rätsel. Sie war überzeugt, daß es die beiden Maler waren, mit denen er sich getroffen hatte. Aber warum gab er vor, sie nicht zu kennen? Sollte sie sich doch geirrt haben?! Sie wußte es nicht, nahm sich jedoch fest vor, die Wahrheit herauszufinden, soweit es in ihrer Macht stand.

X

Ein Schreck für Georg und Tim

Am nächsten Morgen hatten die Kinder wieder Unterricht – und kein Tim lag unter dem Tisch! Georg hatte nicht übel Lust, überhaupt nicht mehr mitzumachen. ›Aber wozu würde das gut sein?‹ fragte sie sich. Erwachsene waren so mächtig, sie konnten allerlei Strafen verhängen. Ihr selbst war es vollkommen gleichgültig, wie schwer sie bestraft wurde, aber sie konnte es nicht ertragen, daß auch Tim die Strafen teilen mußte.

Und so setzte sich das kleine Mädchen blaß und verbittert mit den anderen an den Tisch. Anne zeigte großen Eifer und gab sich alle Mühe, Herrn Roland zu Gefallen zu sein, weil er ihr den Rauschengel vom Christbaum geschenkt hatte. Er war die hübscheste Puppe, die sie jemals gesehen hatte.

Georg hatte die Puppe nur stirnrunzelnd angesehen, als Anne sie ihr zeigte. Sie mochte Puppen überhaupt nicht, und erst recht nicht eine, die Herr Roland ausgesucht hatte.

Georg gab sich alle Mühe, Unannehmlichkeiten zu vermeiden. Herr Roland zeigte weder an ihr noch an ihrer Arbeit Interesse. Er lobte die anderen und gab sich große Mühe, Julius ein paar schwierige Aufgaben zu erklären.

Die Kinder hörten Tim draußen winseln. Es tat ihnen weh, denn Tim war doch solch ein guter Kerl. Sie durften nicht daran denken, daß er so einsam und frierend in der Hundehütte saß. Als die Zehnminutenpause gekommen und Herr Roland für einige Minuten aus dem Zimmer gegangen war, wandte sich Julius an Georg:

»Georg! Es ist furchtbar, unseren guten, alten Tim draußen in der Kälte winseln zu hören. Ich glaube, er hustet auch schon. Soll ich mit Herrn Roland über ihn sprechen. Es muß ein gräßliches Gefühl für dich sein, Tim draußen zu wissen.«

»Mir war es auch so, als ob er gehustet habe«, sagte Georg bekümmert. »Hoffentlich erkältet er sich nicht. Er kann es nicht verstehen, warum ich ihn dort eingesperrt habe. Er denkt sicher, ich sei sehr grausam.«

Georg wandte ihren Kopf weg, weil sie Angst hatte, daß ihr Tränen in die Augen treten könnten. Sie war stolz darauf, daß sie niemals weinte – aber wenn sie an Tim draußen in dem kalten Wetter dachte, dann war es schwer, die Tränen fernzuhalten.

Richard nahm sie beim Arm. »Hör zu, Georg – ich weiß, daß du Herrn Roland haßt, und wahrscheinlich kannst du nichts dafür. Aber wir alle können es nicht ertragen, daß Tim die ganze Zeit draußen sein muß – gerade heute, wo es aussieht, als ob es schneien wolle. Könntest du heute nicht sehr artig sein und deine Abneigung vergessen, so daß Herr Roland deinem Vater auf seine Frage nach deinem Benehmen sagen kann, du seist sehr nett gewesen – und dann fragen wir Herrn Roland, ob Tim wieder ins Haus darf, ja?«

Wieder hustete Tim draußen im Hof, und Georgs Herz krampfte sich zusammen. Wenn er jetzt eine Lungenentzündung bekäme – und sie könnte ihn nicht pflegen, weil er in der Hundehütte wohnen mußte! Sie müßte sterben vor Kummer. Sie wandte sich an Julius und Richard.

»In Ordnung«, sagte sie. »Ja, ich hasse Herrn Roland von ganzem Herzen - aber ich liebe Tim noch mehr, als ich den Lehrer hasse - und um Tims willen werde ich heucheln und lieb und artig und fleißig sein. Und dann könnt ihr ihn bitten, Tim wieder zurückkommen zu lassen.«

»So ist's recht«, lobte Julius. »Da kommt Herr Roland. Kopf hoch, Georg!«

Zum größten Erstaunen des Lehrers zeigte ihm Georg ein Lächeln, als er das Zimmer betrat. Es kam so unerwartet, daß es ihn verwirrte. Es machte ihn noch unsicherer, als er sah, daß Georg fleißiger arbeitete als die anderen und ihm höflich und heiter antwortete, wenn er sie ansprach. Er lobte sie. »Sehr gut, Georgina. Du bist also doch vernünftig, wie ich sehe.«

»Danke«, sagte Georg und lächelte – es war ein dünnes und etwas gezwungenes Lächeln im Vergleich zu dem fröhlichen Gesicht, das die anderen an ihr gewohnt waren – aber es war ein Lächeln.

Beim Mittagessen bediente Georg Herrn Roland sehr aufmerksam – sie reichte ihm das Salz, bot ihm Brot an und stand sogar auf, um das Glas wieder zu füllen, nachdem er es ausgetrunken hatte. Die anderen sahen sie voll Bewunderung an. Georg zeigte wirklich sehr viel Stärke. Wie schwer mußte es ihr fallen, sich so zu benehmen! Herr Roland schien sehr erfreut zu sein und erkannte ihr höfliches Benehmen auch an. Er scherzte mit ihr und bot ihr ein Buch über Hunde an. Georgs Mutter war entzückt. Überhaupt verlief an diesem Tage alles viel fröhlicher.

»Georg, du gehst besser aus dem Zimmer, bevor dein Vater hereinkommt, um Herrn Roland nach deinem Benehmen zu fragen«, riet Julius. »Denn wenn der Lehrer dir ein gutes Zeugnis ausstellt, werden wir alle fragen, ob Tim zurückkommen darf. Es wird leichter sein, wenn du nicht im Zimmer bist.«

»In Ordnung«, sagte Georg. Sie wünschte sehnlichst, daß dieser schwere Tag zu Ende ginge. Das Heucheln fiel ihr gar zu schwer. Sie würde es auch nie fertigbringen, wenn es nicht um Tim ginge.

Es war gerade sechs Uhr, als Georg ihren Vater kommen hörte. Schnell verschwand sie aus dem Zimmer. Er kam herein und nickte Herrn Roland zu.

»Nun? Wie geht's? Haben Ihre Schüler gut gearbeitet?« fragte er.

»Sehr gut, ausgezeichnet«, antwortete Herr Roland. »Julius hat heute eine schwierige Aufgabe gemeistert, die er vorher nie verstanden hat. Richard war in Latein sehr fleißig. Anne hat eine französische Übung geschrieben, ohne auch nur einen einzigen Fehler zu machen.«

»Und wie ist es mit Georg?« fragte ihr Vater.

»Georgina?« sagte Herr Roland. Er überzeugte sich, daß sie nicht im Zimmer war. »Sie hat besser gearbeitet als alle anderen zusammen! Ich habe mich sehr über sie gefreut. Sie hat sich große Mühe gegeben und war höflich und freundlich. Sie hat es sich anscheinend doch anders überlegt.«

»Sie war ein prima Kerl heute«, sagte Julius herzlich. »Onkel Quentin, sie hat sich Riesenmühe gegeben, ganz bestimmt. Aber, weißt du, sie ist furchtbar unglücklich.«

»Warum?« fragte Onkel Quentin überrascht.

»Wegen Tim«, sagte Julius. »Weil er draußen an der Kette liegt und einen fürchterlichen Husten hat!«

»Ach, Onkel Quentin, laß doch bitte den armen Tim wieder hereinkommen«, bettelte Anne.

»O ja, bitte, bitte«, fing jetzt auch Richard an. »Nicht nur wegen Georg, weil sie ihn liebt – auch unseretwegen. Es ist einfach furchtbar, ihn draußen winseln zu hören. Und Georg verdient eine Belohnung, Onkel – sie ist heute großartig gewesen.«

»Hm«, sagte Onkel Quentin und blickte zweifelnd in die eifrigen Gesichter vor ihm, »hm, ich weiß nicht, was ich sagen soll. Wenn Georg vernünftig sein will – und das Wetter noch schlechter wird – dann ...«

Er sah erwartungsvoll zu Herrn Roland hinüber. Aber der Lehrer sagte nichts zugunsten des Hundes. Er schwieg verärgert.

»Wie denken Sie darüber, Herr Roland?« fragte Onkel Quentin.

»Meine Meinung ist, daß Sie bei Ihrer Anordnung bleiben und den Hund draußen lassen sollten«, sagte der Lehrer. »Georg ist verwöhnt und braucht strenge Behandlung. Sie sollten wirklich bei Ihrem ersten Entschluß bleiben. Es ist überhaupt kein Grund zum Nachgeben vorhanden – nur weil das Mädel einmal versucht hat, artig zu sein? Nein.«

Die drei Kinder blickten Herrn Roland ganz überrascht und erschreckt an. Sie hatten bestimmt geglaubt, ihr Lehrer würde zu ihnen halten.

»Herr Roland, Sie sind gräßlich«, weinte Anne. »Bitte, bitte, sagen Sie doch, daß Sie Tim wieder im Haus dulden wollen.«

Der Lehrer sah Anne nicht an. Er spitzte den Mund unter seinem dichten Schnurrbart und blickte Onkel Quentin scharf ins Gesicht.

»Gut«, sagte Onkel Quentin, »vielleicht ist es besser, abzuwarten, ob Georg sich eine ganze Woche lang gut benehmen kann. Ein Tag besagt noch nicht viel.«

Die Kinder blickten ihn voll Empörung an. Sie hielten diese Entscheidung für unfair und grausam. Herr Roland nickte mit dem Kopf.

»Ja«, sagte er, »eine ganze Woche ist besser. Wenn Georgina sich so lange gut benimmt, können wir uns wieder über den Hund unterhalten. Im Augenblick halte ich es für angebracht, ihn draußen zu lassen.«

»Das ist also geklärt«, sagte Onkel Quentin und ver-

ließ das Zimmer. Er hielt an und rief zurück: »Wenn Sie Lust haben, kommen Sie doch einmal in mein Studierzimmer herüber, Roland. Ich bin mit meiner Formel ein Stück weitergekommen. Ich stecke jetzt mitten in einem sehr interessanten Abschnitt.«

Die drei Kinder sahen einander schweigend an. Wie gemein von dem Lehrer, wie gemein, Onkel Quentin zu überreden, daß er den Hund nicht hereinließ! Der Lehrer sah ihre enttäuschten Gesichter.

»Es tut mir leid, euch eine Enttäuschung bereitet zu haben«, sagte er. »Aber wenn Tim euch einmal gebissen und nach euch geschnappt hätte, dann wäret ihr gewiß auch nicht so versessen darauf, ihn im Hause zu haben.«

Er verließ den Raum. Eine Weile später kam Georg herein. Ihr Gesicht verriet große Spannung. Aber als sie das bedrückte Aussehen der anderen wahrnahm, wußte sie schon genug.

»Darf Tim nicht wieder ins Haus?« fragte sie schnell. »Was ist geschehen? Nun sagt doch einen Ton!«

Sie erzählten es ihr. Das Gesicht des kleinen Mädchens wurde finster und böse, als sie vernahm, daß der Lehrer Tims Rückkehr verhindert hatte.

»Oh, was für ein Scheusal er ist!« schrie sie auf. »Wie ich ihn hasse! Das werde ich ihm heimzahlen! Er soll sich nur vorsehen!«

Sie stürzte aus dem Zimmer. Man hörte sie durch die Halle eilen, und dann wurde die Haustür zugeknallt.

»Sie ist nach draußen gegangen, obwohl es dunkel ist«, sagte Julius. »Sie ist sicher bei Tim. Armer, alter Tim! Jetzt wird sich Georg noch schlimmer benehmen als vorher.«

In der Nacht konnte Georg kein Auge zutun. Sie warf sich im Bett hin und her und lauschte. Sie hörte Tim husten. Sie hörte ihn winseln. Er fror, das wußte sie. Sie hatte zwar eine ganze Menge Stroh in seine Hütte gestreut und sie herumgedreht, damit sie dem kalten Nordwind nicht ausgesetzt sei – aber trotzdem mußte Tim die bitterkalte Nacht spüren, nachdem er so lange in Georgs Bett geschlafen hatte.

Tim hustete so hohl, daß Georg es nicht länger ertragen konnte. Sie mußte zu ihm hinuntergehen. ›Ich werde ihn für kurze Zeit ins Haus lassen und seine Brust mit der Arznei einreiben, die Mutti immer benutzt, wenn sie erkältet ist‹, dachte das Mädchen. ›Vielleicht tut es ihm gut‹.

Sie zog sich schnell etwas über und schlich nach unten. Das ganze Haus war ruhig. Sie schlüpfte in den Hof und ließ Tim von der Kette.

Er freute sich sehr, sie zu sehen, und leckte ihr liebkosend Gesicht und Hände.

»Komm schnell für einen Augenblick ins Warme«, flüsterte das Mädchen. »Ich will deine arme Brust mit etwas Öl einreiben.«

Tim lief hinter ihr her ins Haus. Sie nahm ihn in die Küche, aber das Feuer war aus und der Raum kalt. Georg ging voraus, um im nächsten Zimmer sich umzusehen.

Im Studierzimmer ihres Vaters war noch Glut im Kamin. Sie ging mit Tim hinein. Sie schaltete das Licht nicht an, denn die Feuerglut verbreitete genügend Helligkeit. Sie hatte die kleine Flasche mit dem Öl aus dem Schlafzimmer mitgebracht. Sie stellte sie neben das Feuer, um sie anzuwärmen.

Dann rieb sie die haarige Brust des Hundes ein, in der Hoffnung, daß es ihm guttun werde. »Möglichst nicht husten, Tim«, flüsterte sie. »Wenn du das tust, hört dich jemand. Leg dich hier beim Feuer nieder, mein Guter, und wärm dich schön auf. Deine Erkältung wird schon besser werden.«

Tim streckte sich auf dem Teppich aus. Er war froh, aus der Hütte heraus zu sein und bei seiner Herrin zu weilen. Er legte seinen Kopf auf ihr Knie. Georg streichelte ihn und unterhielt sich mit ihm im Flüsterton.

Das Licht des Feuers brach sich an den seltsamen Instrumenten und Glasröhren, die auf den Regalen im Studierzimmer umherstanden. Ein Holzscheit bewegte sich, rutschte etwas tiefer und sprühte dabei einige Funken hoch. Es war warm und friedlich in dem Zimmer.

Das kleine Mädchen schlief ein. Der große Hund schloß ebenfalls die Augen und ruhte sich aus, glücklich und zufrieden. Georg machte es sich mit ihrem Kopf an seinem Hals bequem.

Sie erwachte, als sie die Standuhr im Studierzimmer sechsmal schlagen hörte. Sechs Uhr! Himmel! Johanna, die Köchin, würde bald aufstehen. Sie durfte sie mit dem Hund auf keinen Fall hier finden!

»Tim, Liebling! Wach auf! Ich muß dich wieder in die Hütte zurückbringen«, flüsterte Georg. »Deine Erkältung wird jetzt bestimmt besser werden, denn du hast nicht ein einziges Mal gehustet, seitdem ich dich hereingelassen habe. Steh auf – und mach keinen Krach. Pst!«

Tim stand auf und schüttelte sich. Er leckte Georgs Hand. Er verstand vollkommen, daß er still sein mußte. Die beiden schlüpften aus dem Studierzimmer, gingen durch die Halle und aus der Haustür. In Sekundenschnelle lag Tim wieder an der Kette in der Hütte und kuschelte sich ins Stroh. Georg hätte sich am liebsten neben ihn gelegt. Sie gab ihm einen leichten Klaps und ging ins Haus zurück.

Sie ging nach oben, schläfrig und durchfroren. Halbangezogen fiel sie ins Bett und war im Handumdrehen eingeschlafen.

Als Anne am nächsten Morgen aufstand, war sie höchst erstaunt, Georg mit Unterzeug, Rock und Pullover im Bett zu finden. »Nanu«, sagte sie. »Du bist ja halb angezogen. Ich habe doch mit eigenen Augen gesehen, wie du dich gestern abend ausgezogen hast!«

»Sei still!« sagte Georg. »Ich bin hinuntergegangen und habe Tim hereingelassen. Wir saßen vor dem Feuer im Studierzimmer, und ich rieb ihn mit Öl ein. Wehe, wenn du auch nur ein Sterbenswörtchen davon verrätst! Ehrenwort?!«

Anne versprach es – und hielt ihr Versprechen auch getreulich. Es ist doch allerhand, dachte sie, daß Georg es wagte, mitten in der Nacht im Haus herumzulaufen! Sie ist doch ein Mordskerl!

XI

Gestohlene Papiere

»Georg, sei nicht hitzig heute, ja?« sagte Julius nach dem Frühstück. »Es würde Tims Lage keinesfalls verbessern.«

»Bildest du dir etwa ein, daß ich mich gut benehmen werde, wenn ich ganz genau weiß, daß Herr Roland es nicht erlauben wird, daß Tim ins Haus kommt?« sagte Georg.

»Nicht so hastig – sie sprachen von ›einer Woche‹«, meinte Richard. »Kannst du es nicht eine Woche lang versuchen?« – »Nein. Wenn die Woche vorbei ist, wird er sagen, man soll es noch eine Woche versuchen«, sagte Georg. »Er hat einen richtigen Haß auf den armen Tim. Und auf mich auch. Darüber bin ich zwar nicht erstaunt, denn ich weiß: Wenn ich scheußlich sein will, dann *bin* ich es auch. Aber er sollte seine Abneigung nicht auch noch auf Tim übertragen.«

»Oh, Georg, wenn du so albern bist und dauernd Schwierigkeiten machst, wirst du dir und uns die ganzen Ferien verderben«, sagte Anne.

»Dann verderbe ich sie eben«, sagte Georg trotzig. Ihr Gesicht nahm wieder einen ganz beleidigten Ausdruck an.

»Ich verstehe nicht, warum du sie auch uns verderben mußt«, warf Julius ein.

»Eure Ferien brauchen darunter nicht zu leiden«, sagte Georg. »Ihr könnt euch vergnügen, soviel ihr wollt – geht nur mit eurem lieben Herrn Roland spazieren, macht Spiele mit ihm, lacht und unterhaltet euch nur, soviel und sooft ihr wollt. Um mich braucht ihr euch nicht zu kümmern.«

»Du bist ein komisches Mädchen, Georg«, sagte Julius seufzend. »Wir haben dich doch gern, und wir wollen, daß du glücklich bist – wie kannst du nur denken, daß wir vergnügt sind, wenn wir wissen, daß du und Tim unglücklich seid?«

»Ihr braucht euch um mich keine Sorgen zu machen«, sagte Georg mit erstickter Stimme. »Ich gehe nach draußen zu Tim. Ich komme heute nicht zum Unterricht.«

»Georg! Du mußt«, riefen Richard und Julius gleichzeitig.

»Kein Mensch muß«, erwiderte Georg. »Ich komme einfach nicht. Ich werde nicht mit Herrn Roland arbeiten, bis er sagt, daß ich meinen Tim im Hause behalten darf.«

»Du weißt doch ganz genau, daß das nicht geht. Du bekommst nur Dresche«, bemerkte Richard.

»Wenn ich es gar nicht mehr aushalten kann, dann werde ich weglaufen«, sagte Georg mit zitternder Stimme. »Ja, ich laufe mit Tim zusammen weg.«

Sie verließ das Zimmer und schloß die Tür mit einem lauten Knall. Die anderen starrten ihr nach. – Wie konnte man aus einem Menschen wie Georg klug werden! Mit Freundlichkeit und Verständnis konnte man sie um den kleinen Finger wickeln – aber sowie sie auf jemanden stieß, der sie nicht mochte oder den sie nicht ausstehen konnte, dann scheute sie wie ein erschrecktes Pferd – und keilte auch aus.

Herr Roland kam ins Wohnzimmer mit seinen Büchern unter dem Arm. Er lächelte die drei Kinder an.

»Nun? Ihr wartet alle schon, wie ich sehe. Wo ist Georg?«

Niemand antwortete. Keiner würde Georg verraten.

»Wißt ihr nicht, wo sie ist?« fragte Herr Roland überrascht. Er blickte Julius an.

»Nein, Herr Roland«, sagte Julius wahrheitsgemäß. »Ich habe nicht die geringste Ahnung.«

»Na schön, vielleicht wird sie in einigen Minuten erscheinen«, sagte der Hauslehrer. »Sie wird draußen sein und ihren dummen Hund füttern.«

Sie begannen zu arbeiten. Die Zeit verging, aber Georg erschien nicht. Herr Roland sah auf die Uhr und schnalzte ungeduldig mit der Zunge.

»Es ist ungezogen von Georg, sich so zu verspäten. – Anne, geh und sieh zu, ob du sie findest.«

Anne ging. Sie sah im Schlafzimmer nach – kein Georg. Sie schaute in die Küche. Dort sah sie Johanna beim Kuchenbacken. Die wußte auch nicht, wo Georg war. Sie gab der kleinen Anne schnell noch ein Stück Kuchen zum Kosten.

Anne ging zurück und berichtete Herrn Roland. Er sah wütend drein.

»Ich werde es ihrem Vater erzählen«, sagte er. »Ich habe noch nie zuvor mit einem so aufsässigen Kind zu tun gehabt. Sie scheint es darauf anzulegen, sich in unangenehme Lagen zu bringen.«

Sie nahmen den Unterricht wieder auf. Zur Pause war Georg immer noch nicht erschienen. Julius schlüpfte aus dem Zimmer in den Hof. Die Hundehütte war leer. Georg war also mit Tim ausgegangen. Was für einen Krach das geben würde, wenn sie zurückkam!

Kaum hatten die Kinder sich wieder an ihre Arbeit gesetzt, um die letzten Aufgaben abzuschließen, als sie gestört wurden.

Onkel Quentin erschien im Zimmer. So aufgeregt und besorgt hatten sie ihn noch nie gesehen.

»Ist jemand von euch Kindern in meinem Studierzimmer gewesen?« fragte er in erregtem Tone.

»Nein, Onkel Quentin«, antworteten alle.

»Du hast es uns doch verboten«, fügte Julius hinzu.

»Warum fragen Sie? Ist etwas zerbrochen?« wollte Herr Roland wissen.

»Ja – die Reagenzgläser, die ich gestern für einen Versuch vorbereitet habe – und was viel, viel schlimmer ist – die wichtigsten Seiten aus meinem Buch sind verschwunden«, rief Onkel Quentin. »Ich kann sie zwar wieder schreiben, aber nur nach langer, mühseliger Arbeit. – Mir ist es unverständlich. Seid ihr *ganz* sicher«, hob er von neuem an, »daß keiner von euch sich mit meinen Sachen im Studierzimmer abgegeben hat?«

»Ganz gewiß«, antworteten sie. Anne wurde plötzlich rot. Sie erinnerte sich jetzt an die Erzählung Georgs. Sie hatte doch gesagt, sie habe Tim in Onkel Quentins Arbeitszimmer gelassen und seine Brust mit Öl eingerieben! Aber Georg hatte unmöglich die Reagenzgläser zerbrochen und die Blätter aus ihres Vaters Buch entfernt.

Herr Roland hatte Annes Unsicherheit bemerkt:

»Weißt du etwas Näheres darüber, Anne?« fragte er.

»Nein, Herr Roland«, sagte sie und errötete noch mehr.
Sie fühlte sich sehr unbehaglich in ihrer Haut.

»Wo ist Georg?« fragte Onkel Quentin plötzlich.

Die Kinder schwiegen, aber Herr Roland antwortete:
»Wir wissen es nicht. Sie kam nicht zum Unterricht.«

»Wie? Sie kam nicht zum Unterricht? Warum nicht?« fragte er erregt und runzelte die Stirn.

»Das hat sie uns nicht verraten«, sagte Herr Roland trocken. »Ich nehme an, daß sie sich darüber aufgeregt hat, weil wir wegen des Hundes festblieben – und – das ist eben ihre Art, ihren Trotz zu zeigen.«

»So ein ungezogenes Mädchen!« tobte Georgs Vater. »Ich weiß wirklich nicht, was in letzter Zeit in sie gefah-

ren ist. – Fanny! Wußtest du, daß Georg heute nicht zum Unterricht war?«

Tante Fanny kam ins Zimmer. Sie sah sehr besorgt aus. In ihrer Hand hielt sie eine kleine Flasche. Die Kinder überlegten, was es wohl sein könnte.

»Nicht zum Unterricht?« wiederholte die Tante. »Wie seltsam. Wo ist sie denn?«

»Ich glaube nicht, daß Sie sich ihretwegen Sorgen zu machen brauchen«, sagte Herr Roland sanft. »Sie ist wahrscheinlich in ihrer Wut mit Tim fortgegangen. – Was mir viel wichtiger scheint, ist die Tatsache, daß Ihre Arbeit durch irgend jemand verdorben ist. Hoffentlich hat Georg nicht ihre Hände dabei im Spiele gehabt – vielleicht ist sie so boshaft, daß sie es Ihnen heimzahlen wollte, daß Sie die Rückkehr des Hundes ins Haus nicht erlaubten.«

»Georg war es aber nicht!« schrie Richard, der darüber böse war, daß jemand überhaupt auf den Gedanken kommen konnte, seine Kusine zu verdächtigen.

»Georg würde nie, niemals so etwas tun«, rief auch Julius.

»Nein, nein – ganz bestimmt nicht«, sagte Anne und hielt Georg tapfer die Stange, obwohl ein schrecklicher Zweifel in ihrem Kopf aufgetaucht war. Georg *war* doch gestern nacht im Studierzimmer gewesen!

»Quentin, ich weiß, daß Georg noch nicht einmal an so etwas *denken* würde«, sagte ihre Mutter. »Du wirst die fehlenden Seiten schon irgendwo finden – und was die Reagenzgläser anbelangt, wurden sie vielleicht von einer flatternden Gardine umgerissen. Wann hast du die Seiten das letzte Mal gesehen?«

»Gestern abend«, sagte Onkel Quentin. »Ich überlas sie und rechnete die Zahlen noch einmal durch, um mich zu vergewissern, daß sie richtig sind. Diese Seiten enthalten das Herzstück meiner Formel! Wenn jemand anders sie in die Hände bekäme, dann könnte mein Geheimnis ausgewertet werden! Meine ganze Arbeit wäre umsonst gewesen. Das ist ein schwerer Schlag für mich! Ich muß unbedingt etwas über ihr Schicksal erfahren.«

»Das hier habe ich in deinem Studierzimmer gefunden, Quentin«, sagte Tante Fanny und hielt die kleine Flasche hoch, die sie mitgebracht hatte. »Hast du sie gebraucht? Sie stand beim Kamin.«

Onkel Quentin nahm die Flasche in die Hand und blickte sie an. »Kampferöl«, sagte er. »Ich habe es ganz gewiß nicht gebraucht. – Warum sollte ich auch!«

»Hm – wer mag sie nur dahin gestellt haben?« fragte Tante Fanny ganz verwirrt. »Keines der Kinder ist erkältet – und sie würden sowieso niemals von selbst an Kampferöl denken und es ausgerechnet in dein Studierzimmer bringen. Es ist mir ein Rätsel.«

Alle waren am Überlegen. Wie mochte nur die Flasche mit dem Kampferöl in das Zimmer gekommen sein?

Nur Anne konnte sich die Ursache vorstellen. Der Gedanke traf sie wie ein Blitz. Georg hatte ihr ja erzählt, daß sie Tim im Studierzimmer mit Öl eingerieben hatte. Weil Tim hustete! Anne wurde wieder rot, als sie die Flasche sah. Herr Roland, dessen Augen heute morgen sehr gut zu sehen schienen, sah das Mädchen scharf an.

»Anne, du weißt etwas über das Öl!« sagte er plötzlich. »Was weißt du darüber? Hast *du* es dorthin gestellt?«

»Nein«, sagte Anne. »Ich war nicht im Studierzimmer. Ich sagte es doch schon.«

»Weißt du etwas über das Öl?« wiederholte Herr Roland seine Frage. »Du *weißt* etwas, nicht wahr?«

Die anderen blickten auf Anne. Sie blickte zurück. Das war einfach schrecklich! Sie konnte doch Georg nicht verraten. Nein – das konnte sie nicht tun. Georg hatte sowieso schon genug zu tragen. Sie preßte ihren kleinen Mund zusammen und antwortete nicht.

»Anne!« sagte Herr Roland streng. »Antworte, wenn du gefragt wirst.«

Anne schwieg. Die beiden Jungen sahen sie verwundert an. Sie errieten, daß ihr Schweigen etwas mit Georg zu tun haben mußte.

»Liebe Anne«, sagte Tante Fanny milde. »Erzähle es

uns doch, wenn du etwas darüber weißt. Es hilft uns vielleicht, herauszufinden, was mit Onkel Quentins Papieren geschehen ist. Es ist wirklich sehr, sehr wichtig.«

Anne sagte noch immer nichts. Ihre Augen füllten sich mit Tränen. Julius drückte ihren Arm.

»Laßt Anne in Ruhe«, sagte er zu den Erwachsenen. »Wenn sie glaubt, es nicht erzählen zu können, dann hat sie bestimmt ihre Gründe.«

»Ich bin der Meinung, daß sie nur Georg decken will«, sagte Herr Roland. »Stimmt's, Anne?«

Das kleine Mädchen brach in Tränen aus. Julius schlang die Arme um seine kleine Schwester und wandte sich wieder an die drei erwachsenen Menschen.

»Bitte, könnt ihr Anne nicht in Ruhe lassen? Ihr seht doch, wie sehr sie sich aufregt.«

»Wir werden Georg selbst erzählen lassen, wenn sie zurückkommt«, meinte jetzt Herr Roland. »Sie weiß ganz bestimmt, wie die Flasche dorthin gekommen ist – und wenn sie sie selbst dorthin gestellt hat, dann muß sie im Studierzimmer gewesen sein. Sie ist die einzige Person, die drin gewesen ist.«

Die Jungen glaubten nicht einen Augenblick daran, daß Georg die Arbeit ihres Vaters verdorben haben könnte. Anne befürchtete es und regte sich darüber auf. Sie schluchzte in Julius' Armen.

»Wenn Georg zurückkommt, dann schickt sie sofort zu mir«, sagte Onkel Quentin gereizt. »Wie soll man bei diesen dauernden Aufregungen arbeiten können! Ich war von Anfang an dagegen, Kinder im Haus zu haben.«

Er verließ verärgert und wütend das Zimmer. Die Kinder atmeten auf. Herr Roland klappte die Bücher auf dem Tisch mit einem Knall zusammen.

»Wir hören für heute vormittag mit dem Unterricht

auf. Zieht euch etwas über und geht bis zum Mittagessen spazieren.«

»O ja«, sagte Tante Fanny, die bleich und besorgt aussah. »Das ist ein guter Gedanke.«

Herr Roland und Tante Fanny verließen ebenfalls das Zimmer. »Ich weiß nicht, ob Herr Roland meinte, er wolle mit uns kommen«, sagte Julius leise. »Wenn ja, dann müssen wir sehen, daß wir vor ihm draußen sind und ihm entwischen können. Denn – wir müssen unbedingt Georg finden, um sie von dem Vorgefallenen zu benachrichtigen und zu warnen.«

»Du hast recht«, stimmte ihm Richard bei. »Trockne deine Tränen ab, liebes Annemädchen. Beeil dich und zieh dich an. Wir werden durch den Garten ausreißen, bevor Herr Roland herunterkommt. Ich vermute, Georg hat ihren Lieblingsspaziergang über die Klippen gemacht. Wir wollen sie abfangen!«

Die drei Kinder schlüpften schnell in ihre Wettermäntel und schlichen zur Gartentür hinaus. Dann rasten sie den Gartenweg entlang und zum Tor hinaus – bevor Herrn Roland auch nur der Gedanke kommen konnte, daß sie verschwunden seien. Sie machten sich auf den Weg zu den Klippen und hielten Ausschau nach Georg.

»Da ist sie – und Tim auch!« rief Julius und deutete mit dem Finger in die Richtung der Klippen. »Georg! Georg! Komm schnell! Wir haben dir etwas Wichtiges zu erzählen!«

XII

Georg in Schwierigkeiten

»Was gibt's?« fragte Georg, als die drei Kinder angerannt kamen. »Ist irgend etwas geschehen?«

»Ja, Georg. Jemand hat die drei wichtigsten Seiten aus dem Buch deines Vaters herausgerissen!« keuchte Julius. »Und außerdem die Reagenzgläser zerbrochen, mit denen dein Vater seine Versuche machen wollte. Herr Roland hat den Verdacht geäußert, daß du etwas mit dieser Sache zu tun haben könntest.«

»Das alte Scheusal«, sagte Georg, und ihre blauen Augen wurden abgrundtief vor Wut. »Als ob ich jemals so etwas tun würde! – Wieso verfällt er ausgerechnet auf mich?«

»Weil du die Ölflasche im Studierzimmer hast stehenlassen«, sagte Anne. »Ich habe niemand erzählt, was du mir anvertraut hast – aber irgendwie hat Herr Roland erraten, daß du mit der Ölflasche in Verbindung stehst.«

»Du hast es also nicht einmal den Jungen berichtet?« fragte Georg und fügte hinzu: »Da ist eigentlich auch nicht viel zu erzählen, Julius. Ich hörte den armen Tim in der Nacht husten und zog mich halb an, ging hinunter und ließ ihn ins Studierzimmer, wo das Feuer noch glühte.
Ich wußte, daß Mutter eine Flasche mit Öl hatte, mit dem sie sich einreibt, wenn sie erkältet ist. Ich dachte, das wird Tim auch guttun. Ich holte das Öl und rieb ihn gut damit ein – und dann schliefen wir beide beim Feuer ein, bis ich es sechs Uhr schlagen hörte. Ich war sehr schläfrig, als ich aufwachte, und vergaß deshalb das Öl. – Das ist alles.«

»Und du hast keine Blätter aus Onkel Quentins Buch

herausgerissen und hast auch nichts zerbrochen?« fragte Anne.

»Natürlich nicht, du törichtes Ding«, sagte Georg entrüstet. Wie kannst du nur so dumm fragen? Du bist wohl verrückt?«

Georg log niemals, und deshalb glaubten die anderen ihr, was immer sie auch sagte. Sie standen im Kreis und blickten sich unschlüssig an.

»Ich möchte nur wissen, wer die Seiten aus dem Buch entfernt hat«, sagte Julius. »Vielleicht findet sie dein Vater doch noch irgendwo. Und die Reagenzgläser können von alleine umgekippt und zerbrochen sein. Meiner Meinung nach standen sie sowieso dort sehr wacklig.«

»Ich kann mich ja auf etwas gefaßt machen, weil ich Tim mit ins Studierzimmer genommen habe«, sagte Georg plötzlich.

»*Und* für das Schwänzen des Unterrichts heute morgen«, ergänzte Richard. »Du bist tatsächlich ein Unglücksrabe, Georg. Ich habe wirklich noch niemanden kennengelernt, der so oft in Nöte gerät wie du!«

»Wäre es nicht besser, wenn du noch etwas länger draußen bliebest, bis sich die Gemüter etwas abgekühlt haben?« fragte Anne.

»Nein«, sagte Georg sofort. »Wenn ich bestraft werden soll, dann will ich es gleich auf mich nehmen. Ich habe keine Angst.«

Sie marschierte über den Klippenpfad, und Tim sprang um sie herum wie sonst auch. Die anderen folgten ihr. Herr Roland sah sie vom Fenster aus kommen und öffnete die Tür. Er warf Georg einen wütenden Blick zu.

»Dein Vater wünscht dich in seinem Zimmer zu sprechen«, sagte er. Dann wandte er sich an die anderen und sah ganz verärgert aus.

»Warum seid ihr ohne mich gegangen? Ich wollte doch mitkommen.«

»Oh, wirklich? Das tut uns aber leid«, sagte Julius, ohne seinen Hauslehrer dabei anzusehen. »Wir sind nur etwas auf die Klippen gegangen.«

»Georgina, bist du gestern nacht im Studierzimmer gewesen?« fragte Herr Roland, während er Georg beobachtete, als sie Mantel und Mütze ablegte.

»Ich werde die Fragen meines Vaters beantworten und nicht Ihre«, erwiderte Georg.

»Dir fehlt eine Tracht Prügel!« rief Herr Roland wütend aus. »Und wenn ich dein Vater wäre, würde ich sie dir verabreichen.«

»Sie *sind* aber nicht mein Vater«, antwortete das Mädchen. Georg ging auf die Tür des Studierzimmers zu und öffnete sie. Es war niemand drin.

»Vater ist nicht hier«, sagte Georg.

»Er wird jeden Augenblick kommen«, sagte der Lehrer. »Geh hinein und warte. – Und ihr andern begebt euch nach oben und wascht eure Hände zum Mittagessen.«

Die drei Kinder kamen sich beinah wie Verräter vor, als sie die Treppe hinaufgingen. Sie hörten Tim auf dem Hof winseln. Er wußte, daß seine kleine Herrin in Nöten war, und wollte ihr beistehen.

Georg setzte sich auf einen Stuhl und starrte ins Feuer. Sie erinnerte sich daran, wie sie in der Nacht mit Tim dort auf der Matte gesessen und seine haarige Brust eingerieben hatte. Zu dumm, daß sie die Flasche hatte stehenlassen!

Ihr Vater betrat das Zimmer. Er blickte finster drein. »Warst du in der Nacht hier drin?« fragte er streng.

»Ja«, antwortete Georg ohne Zögern.

»Was hattest du hier zu suchen?« fragte er weiter.

»Du weißt doch, daß Kindern mein Studierzimmer verboten ist.«

»Ich weiß«, erwiderte Georg. »Aber Tim hatte einen so schrecklichen Husten, und ich konnte es einfach nicht ertragen. Deshalb ging ich nach unten – es war ungefähr ein Uhr – und ließ ihn herein. Es war der einzige warme Raum, und ich setzte mich hin und rieb Tims Brust mit dem Öl ein, das Mutti benutzt, wenn sie erkältet ist.«

»Den Hund mit Kampferöl einreiben!« rief ihr Vater verblüfft. »Vollkommen verrückt! Als ob das helfen würde!«

»Es erschien mir nicht so verrückt«, entgegnete Georg. »Es war sogar das einzig Vernünftige. Tims Husten ist heute viel besser. Es tut mir leid, daß ich ins Studierzimmer gegangen bin. Ich habe selbstverständlich nichts angerührt.«

»Georg, es ist etwas sehr Ernstes geschehen«, sagte jetzt ihr Vater und sah sie forschend an. »Einige meiner Reagenzgläser, mit denen ich einen wichtigen Versuch durchführe, sind zerbrochen worden – und, was noch schlimmer ist, drei Seiten sind aus meinem Buch verschwunden. Schwöre mir bei deiner Ehre, daß du nicht weißt, wie es geschehen ist.«

»Ich weiß es wirklich nicht«, sagte Georg und blickte ihrem Vater offen und gerade ins Gesicht. Ihre Augen waren sehr blau und klar, als sie ihn anschaute. Er war überzeugt, daß sie die Wahrheit sprach. Sie wußte bestimmt nicht, wer den Schaden verursacht haben könnte. – Aber wo *waren* dann die Blätter?

»Georg! Als ich gestern nacht um elf Uhr ins Bett ging, war alles in Ordnung«, begann ihr Vater von neuem. »Ich las jene drei wichtigen Seiten nochmals durch, um sie zu überprüfen. Heute morgen waren sie verschwunden.«

»Dann sind sie zwischen elf und ein Uhr gestohlen worden«, sagte Georg. »Ich war von eins bis sechs in diesem Raum.«

»Aber *wer* in aller Welt könnte sie genommen haben?« sagte ihr Vater. »Soviel ich weiß, war das Fenster fest geschlossen, und außer mir wußte niemand, wie wichtig diese Seiten waren. Es ist unverständlich.«

»Herr Roland wußte es sicherlich auch!« sagte Georg langsam.

»Sei nicht albern!« sagte ihr Vater. »Wenn Herr Roland auch wußte, daß sie wichtig waren, heißt das noch lange nicht, daß *er* sie genommen hat. Er ist ein sehr anständiger Mensch. – Und da fällt mir ein – warum warst du heute morgen nicht im Unterricht?«

»Ich will nicht mehr bei Herrn Roland Stunden haben«, sagte Georg. »Ich hasse ihn.«

»Georg! Ich dulde nicht, daß du so von deinem Lehrer sprichst!« sagte ihr Vater aufgebracht. »Soll ich dir Tim ganz und gar wegnehmen?«

»Nein«, sagte Georg. Ihre Knie zitterten. »Aber ich finde es nicht recht, mich mit der Drohung, Tim zu entfernen, zu etwas zu zwingen. Wenn – wenn du – das tust –, dann – werde ich einfach fortlaufen.«

Georg weinte nicht. Sie saß kerzengerade auf ihrem Stuhl und blickte ihren Vater trotzig an. – Was für ein schwieriges Kind sie war! Ihr Vater seufzte leise und dachte daran, daß auch er in seiner Kindheit »schwierig« genannt worden war. Georg ähnelte ihm sehr. Sie konnte so nett und artig sein – und nun saß sie hier und benahm sich vollkommen unmöglich.

Ihr Vater wußte wirklich nicht, was er mit Georg anfangen sollte. Er wollte sich erst einmal mit seiner Frau über die Angelegenheit unterhalten. Er erhob sich und ging zur Tür.

»Bleib hier. Ich werde gleich wieder zurück sein. Ich möchte mit deiner Mutter über dich sprechen.«

»Bitte, sprich nicht mit Herrn Roland über mich, ja?« sagte Georg, die überzeugt war, daß der Lehrer furchtbare Bestrafungen verordnen würde – über sie und über Tim. »Oh, Vati, wenn Tim gestern nacht im Hause gewesen wäre und wie gewöhnlich in meinem Zimmer geschlafen hätte – dann hätte er gebellt und das ganze Haus aufgeweckt.«

Ihr Vater schwieg – er wußte, daß Georg recht hatte. Tim hätte niemanden unbemerkt ins Studierzimmer gehen lassen. Es war merkwürdig, daß er in der Nacht nicht gebellt hatte. Das hätte er tun müssen, wenn jemand von außen zum Fenster hineingeklettert wäre. Aber das Studierzimmer lag ja an der anderen Seite des Hauses. Vielleicht konnte er dort die Geräusche gar nicht hören.

Die Tür schloß sich hinter Georgs Vater. Das Mädchen blieb unbeweglich auf dem Stuhl sitzen und starrte auf den Kaminsims, wo eine Uhr die Zeit vergehen ließ. Sie fühlte sich elend. Alles, aber auch alles ging daneben! Um sich die Zeit zu vertreiben, zählte sie die Felder der Wandtäfelung über dem Kaminaufsatz. Es waren acht. Wo hatte sie nur schon von acht Feldern gehört? Ja, natürlich – der Geheimgang! Auf dem Leinwandstreifen waren doch acht Felder aufgezeichnet. Wie schade, daß ihre Spielgefährten diese nicht im Bauernhaus entdeckt hatten.

Georg blickte aus dem Fenster und überlegte sich, ob das Zimmer wohl nach Osten lag. Sie sah nach der Stellung der Sonne, die jetzt zwar nicht ins Fenster schien – aber am frühen Morgen war das sicherlich der Fall, also mußte der Raum nach Osten liegen. Sieh mal an – hier war ein Zimmer, das nach Osten lag und in dessen

Wandtäfelung sich acht Felder befanden. Sie war gespannt, ob es auch einen Steinfußboden besitze.

Der Fußboden war mit einem dicken Teppich bedeckt. Georg stand auf und näherte sich der Wand.

Sie hob eine Ecke des Teppichs hoch – und siehe da – der Boden darunter bestand aus großen flachen Steinen. Das Studierzimmer hatte also auch einen Steinboden!

Sie setzte sich wieder hin und blickte zu den Holzfeldern hinüber, während sie sich zu erinnern versuchte, welches der acht Felder auf dem Leinwandstreifen mit einem Kreuz bezeichnet war. – Aber es kam ja gar nicht in Frage, daß der gesuchte Raum im Felsenhaus war – er mußte drüben im Bauernhaus sein, wo der Geheimgang seinen Anfang hatte.

Aber angenommen – er *wäre* hier im Felsenhaus! Die Anweisung war zwar auf dem Felsenhof gefunden worden – aber das besagte noch lange nicht, daß der Geheimgang unbedingt dort anfangen mußte, obwohl Frau Sanders das annahm.

Georg fühlte jähe Erregung in sich aufsteigen. ›Ich muß diese acht Felder abklopfen und versuchen, das auf dem Leinen angekreuzte Feld zu finden‹, dachte sie. ›Vielleicht gleitet es zurück, und ich entdecke plötzlich den Zugang.‹

Sie stand auf, um ihr Glück zu versuchen – aber gerade in diesem Augenblick öffnete sich die Tür, und ihr Vater kam herein. Er sah ernst aus.

»Ich habe mit deiner Mutter gesprochen«, fing er an. »Sie ist auch der Meinung, daß du sehr ungehorsam, frech und trotzig gewesen bist. Wir können ein solches Benehmen nicht ungestraft lassen.«

Georg sah ihren Vater ängstlich an. Wenn nur die Strafe nichts mit Tim zu tun hatte! – Aber leider war das der Fall.

»Du wirst für den Rest des Tages ins Bett gesteckt und darfst Tim drei Tage lang nicht sehen«, sagte ihr Vater. »Ich werde Julius auftragen, ihn zu füttern und spazierenzuführen. Wenn du weiterhin trotzig sein solltest, wird Tim weggegeben. So seltsam es auch klingen mag, aber ich fürchte, daß der Hund einen schlechten Einfluß auf dich ausübt.«

»Das stimmt nicht. Das ist nicht wahr«, meinte Georg. »Oh, er wird so unglücklich sein, wenn ich ihn drei ganze Tage lang nicht sehen darf.«

»Ich will nichts weiter darüber hören«, sagte ihr Vater.

»Geh nach oben und ins Bett und denke noch einmal darüber nach, was ich dir gesagt habe, Georg. Dein Benehmen in diesen Ferien ist für mich eine große Enttäuschung. Ich glaubte schon, daß der Einfluß deiner drei Spielgefährten dich zu einem richtigen, verständigen Mädchen umgewandelt hätte. Und jetzt bist du schlimmer als vorher.«

Er hielt die Tür offen, Georg ging hinaus und trug ihren Kopf hoch. Sie hörte die anderen mit Messer und Gabel klappern. Es war Mittagszeit. Sie ging geradeswegs nach oben und zog sich aus. Dann stieg sie ins Bett und dachte traurig darüber nach, daß sie Tim drei Tage lang nicht sehen durfte. Der Gedanke schon war ihr unerträglich. Niemand konnte ermessen, wie sehr sie Tim liebte.

Johanna brachte ihr das Essen herauf. »Na, kleines Fräulein, es ist ein Jammer, daß du im Bett bleiben mußt«, sagte sie aufmunternd. »Nun benimm dich nur gut, dann darfst du bald wieder hinunter. Sei ein vernünftiges Mädel.«

Georg stocherte im Essen herum. Sie hatte überhaupt keinen Hunger. Sie streckte sich lang aus und dachte an

Tim und die acht getäfelten Felder über dem Kaminsims. – Sollten das die Felder sein, von denen in der Anweisung die Rede war? Sie schaute aus dem Fenster und dachte angestrengt nach.

»O Gott, es schneit«, sagte sie plötzlich und setzte sich auf. »Das habe ich heute morgen schon befürchtet, als ich den Himmel sah. Und *wie* es schneit! Heute abend wird der Schnee hoch liegen – einen halben Meter hoch, mindestens. Armer, armer Tim! Hoffentlich achtet Julius darauf, daß deine Hütte von hereinwehendem Schnee freigehalten wird.«

Georg hatte viel Zeit zum Nachdenken, als sie im Bett lag. Johanna kam und nahm das Tablett mit dem unberührten Essen wieder fort. Sonst erschien niemand, um nach ihr zu sehen. Georg nahm an, daß es den anderen Kindern verboten war, heraufzukommen und mit ihr zu sprechen. Sie fühlte sich einsam und von allem ausgeschlossen.

Dann dachte sie an die verlorengegangenen Blätter. Ob Herr Roland sie wohl an sich genommen hatte? Er hatte doch immer viel Interesse für die Arbeit ihres Vaters gezeigt und schien sie auch zu verstehen. Der Dieb mußte jemand sein, der genau wußte, welches die wichtigsten Seiten des Buches waren. Tim hätte sicher gebellt, wenn der Dieb von außen eingestiegen wäre – obwohl das Studierzimmer an der anderen Seite des Hauses liegt. Tim hatte ein wirklich ungemein scharfes Gehör.

»Es war sicher jemand aus dem Hause«, sagte Georg. »Keines von uns Kindern – das ist sicher – und auch nicht Mutti oder Johanna. So bleibt nur Herr Roland übrig. Und ich habe ihn ja auch damals im Studierzimmer gefunden, als Tim mich mit seinem Knurren aufweckte.«

Sie setzte sich plötzlich kerzengerade hin. ›Jetzt hab'

ich's, Herr Roland wollte Tim aus dem Hause entfernt haben, weil er im Studierzimmer herumschnüffeln wollte und Angst hatte, daß der Hund wieder bellen würde‹, dachte sie. ›Ja, so war es! Ich bin jetzt fest – ganz, ganz fest davon überzeugt, daß Herr Roland der Dieb ist.‹

Das kleine Mädchen war ganz aufgeregt. Oh – wie wünschte sie sich jetzt die anderen herbei, um sich mit ihnen über jene geheimnisvollen Vorkommnisse aussprechen zu können.

XIII

Julius erlebt eine Überraschung

Den anderen drei Kindern tat Georg sehr leid. Onkel Quentin hatte ihnen tatsächlich verboten, sie aufzusuchen.

»Es tut Georg ganz gut, sich die Angelegenheit mal ganz alleine für sich zu durchdenken«, hatte er gesagt.

»Armer, alter Georg«, jammerte Julius. »Es ist doch zu blöde, nicht wahr? Seht euch nur den Schnee an!«

Es schneite in dichten Flocken. Julius ging zum Fenster und schaute hinaus. »Ich muß nach draußen gehen und nachsehen, ob mit Tim alles in Ordnung ist«, sagte er. »Wir wollen doch nicht, daß der arme Kerl vollkommen einschneit. Er wird sich sicherlich schon wundern, was für ein seltsames Zeug dieser Schnee sein mag.«

Tim stand wirklich vor einem Rätsel. Erst verwirrte es ihn, daß alles mit diesem weichen, weißen Zeug bedeckt war. Er saß in der Hütte und blickte in die fallenden Flocken und verfolgte sie mit seinen großen braunen Augen, wenn sie zur Erde fielen. Er war verwirrt und unglücklich. Warum mußte er hier ganz allein in der Kälte sitzen? Warum kam seine Herrin nicht, um nach ihm zu sehen? Hatte sie ihn nicht mehr lieb? Der große Hund fühlte sich ganz elend – so elend wie Georg.

Er sprang an dem Jungen hoch und leckte sein Gesicht.

»Guter, alter Tim«, redete ihn Julius an. »Ist alles in Ordnung? Komm, ich fege den Schnee etwas weg und drehe deine Hütte herum, daß die Flocken nicht hineinwehen können. Da – so ist's besser. – Nein, wir können jetzt nicht spazierengehen, alter Freund – nein, jetzt nicht.«

Der Junge tätschelte den Hund und zauste sein Fell. Dann ging er wieder ins Haus zurück. An der Wohnzimmertür traf er die anderen.

»Julius! Herr Roland wird einen Spaziergang machen – ganz allein. Tante Fanny hat sich hingelegt, und Onkel Quentin ist in seinem Arbeitszimmer. Könnten wir nicht schnell nach oben gehen und Georg besuchen?«

»Es ist uns verboten«, sagte Julius zweifelnd.

»Ich weiß«, meinte Richard. »Aber es macht mir nichts aus, es um Georgs willen zu wagen. Ich möchte sie ein wenig aufheitern. Es muß furchtbar für sie sein, ganz allein dort oben zu liegen und zu wissen, daß sie Tim drei Tage lang nicht sehen darf.«

»Also gut – aber laßt mich hinaufgehen, da ich der älteste bin«, sagte Julius. »Ihr beide bleibt hier unten und unterhaltet euch. Dann wird Onkel Quentin denken, daß wir alle hier sind. Ich werde mich nach oben schleichen und Georg eine kurze Zeit besuchen.«

»In Ordnung«, sagte Richard. »Überbringe ihr unser heißes Mitleid und sag, wir würden auf Tim aufpassen.«

Julius schlich behutsam die Treppen hoch. Er öffnete die Tür zum Mädchenzimmer und stahl sich hinein. Dann schloß er leise die Tür hinter sich. Er sah Georg im Bett sitzen. Sie sah ihn mit strahlenden Augen an.

»Pst«, machte Julius. »Ich darf eigentlich nicht hier sein.«

»O Julius!« sagte Georg fröhlich. »Fein, daß du gekommen bist. Ich war so allein. Komm und setz dich auf die Bettkante. Falls jemand plötzlich erscheinen sollte, dann kannst du dich schnell ducken und verstecken.«

Julius ging zur anderen Seite des Bettes. Georg überschüttete ihn mit ihren Gedanken und Fragen.

»Weißt du, ich bin fest davon überzeugt, daß Herr Roland wirklich der Dieb ist. Ich sage es nicht, weil ich

ihn hasse, bitte, glaub mir das. Nein – aber kannst du dich noch erinnern, wie ich ihn damals erwischt habe, als er nachmittags im Studierzimmer herumschnüffelte – und dann das andere Mal mitten in der Nacht? Vielleicht hat er irgendwo von Vatis Arbeit gehört und kam hierher, um sie zu stehlen. Daß wir gerade einen Hauslehrer brauchten, war ein glücklicher Zufall für ihn. Er hat ganz bestimmt die Blätter gestohlen – und er wollte Tim aus dem Haus haben, um seinen Diebstahl ungestört durchführen zu können.«

»Ach, Georg – ich kann es einfach nicht glauben«, sagte Julius, der sich nicht mit dem Gedanken vertraut machen konnte, daß der Lehrer eines Diebstahls fähig sei. »Es hört sich alles so weit hergeholt und so unglaubhaft an.«

»Es geschieht eine Menge unglaubhafter Dinge«, sagte Georg, »eine ganze Menge. Und dies ist nur *ein* Beispiel.«

»Na schön, wenn Herr Roland die Blätter gestohlen hat, dann müssen sie irgendwo im Hause sein«, meinte Julius.

»Er war den ganzen Tag im Hause. Er muß sie in seinem Schlafzimmer versteckt haben.«

»Ha, natürlich«, sagte Georg aufgeregt. »Wenn er nur ausgehen würde! Dann könnte ich sein Zimmer durchsuchen.«

»Das darfst du aber nicht tun, Georg«, wehrte Julius erschrocken ab.

»Du hast keine Ahnung, was ich alles fertigbringe, wenn ich es mir in den Kopf gesetzt habe«, sagte Georg und sah entschlossen aus. »Horch – was war das?«

Sie hörten die Haustür gehen. Julius ging vorsichtig zum Fenster und blickte hinaus.

»Es ist Herr Roland«, sagte Julius. »Er geht jetzt spazieren.«

»Ooooh – dann könnte ich ja sein Zimmer durchsuchen. Du mußt aber am Fenster Schmiere stehen und mich warnen, falls er zurückkommt«, sagte Georg und warf die Bettdecke mit einem Schwung zurück.

»Nein, Georg, bitte tue es nicht«, bat Julius. »Ehrlich gesagt, ich finde es häßlich, ein fremdes Zimmer zu durchstöbern. Außerdem wird er die Blätter mitgenommen haben. Vielleicht gibt er sie an jemand anderes weiter.«

»Richtig – daran habe ich gar nicht gedacht«, sagte Georg und blickte Julius mit weitaufgerissenen Augen an. »Ist das nicht zum Krankwerden!? Natürlich – er kennt zum Beispiel die beiden Maler vom Bauernhof. Vielleicht ist es eine Verschwörung.«

»Ach, Georg, sei nicht albern«, meinte Julius. »Du machst aus einer Mücke einen Elefanten – Verschwörungen und weiß der Himmel was sonst noch. Das klingt ja nach einem aufregenden Abenteuer.«

»Ich glaube, so ist es auch«, sagte Georg ganz unerwartet und sah ernst und feierlich aus. »Ich habe so das Gefühl, daß wir mittendrin stehen – mitten in einem phantastischen Abenteuer.«

Julius blickte seine Kusine nachdenklich an. Sollte sie tatsächlich recht haben?

»Julius, tust du mir einen Gefallen?« fragte Georg jetzt.

»Selbstverständlich«, entgegnete der Junge sofort.

»Geh – und folge Herrn Roland«, bat Georg. »Aber laß dich nicht erwischen. Im Schrank in der Halle ist ein weißer Wettermantel. Zieh ihn an, dann bist du gegen den Schnee kaum zu erkennen. Geh ihm nach und beobachte, ob er sich mit irgend jemandem trifft und etwas übergibt, das den gestohlenen Blättern aus dem Buch meines Vaters ähnlich sieht. – Du kennst sie doch, diese großen Blätter, auf denen er immer schreibt.«

»In Ordnung«, erklärte Julius. »Aber wenn ich das tue, dann mußt du mir versprechen, sein Zimmer nicht zu durchsuchen. – Das darf man nicht so ohne weiteres tun, Georg.«

»O doch«, widersprach das Mädchen. »Aber ich will es unterlassen, wenn du Herrn Roland nachgehst. Er wird bestimmt die gestohlenen Papiere an die anderen Mitglieder der Verschwörung weitergeben. Und ich wette, daß dies die beiden Maler von ›Felsenhof‹ sind, die er angeblich nicht kennt.«

»Du wirst schon sehen, daß du dich geirrt hast«, sagte Julius und begab sich zur Tür. »Ich bezweifle sowieso, daß ich Herrn Roland finden werde – es ist schon über fünf Minuten her, daß er das Haus verließ.«

»Natürlich wirst du ihn finden, du Dummkopf – du kannst doch seine Fußstapfen im Schnee sehen«, rief ihm Georg nach. »Doch – wart mal, Julius – ich habe ganz vergessen, dir etwas Aufregendes zu erzählen. Aber halt – dazu haben wir jetzt keine Zeit. Ich werde es dir erzählen, wenn du zurückkommst – vielleicht kannst du noch einmal zu mir heraufschleichen. Es hängt mit dem Geheimgang zusammen.«

»Wirklich?« sagte Julius erfreut. Er war sehr enttäuscht gewesen, daß die Jagd nach dem Geheimgang bisher zu keinem Erfolg geführt hatte. »Also gut, ich werde versuchen, dich später noch einmal aufzusuchen. Wenn ich nicht komme, dann weißt du, daß es mir nicht möglich ist. Du mußt dann eben abwarten, bis wir zu Bett gehen.«

Er verschwand und schloß leise die Türe hinter sich. Er schlich nach unten, steckte seinen Kopf ins Wohnzimmer und flüsterte den anderen zu, daß er dem Lehrer nachgehen werde. »Den Grund verrate ich euch später«, fügte er hinzu. Er zog sich den weißen Wettermantel über und ging in den Garten hinaus. Es begann wieder zu schneien, aber Herrn Rolands Fußspuren waren noch deutlich genug zu erkennen. Er hatte große Gummistiefel an, deren Abdrücke in dem tiefen Schnee gut sichtbar waren.

Der Junge beflügelte seine Schritte. Die Landschaft sah jetzt ganz winterlich aus. Der Himmel war grau und bleiern, und es war noch viel Schnee zu erwarten. Die Fußspuren führten über die Landstraße, dann den Pfad entlang, der die Dorfwiese durchschnitt. Julius stolperte vorwärts, seine Augen auf die Spuren geheftet. Plötzlich hörte er Stimmen und hielt an. Zur Rechten zog sich eine dichte Ginsterhecke hin. Die Stimmen kamen von dort. Der Junge näherte sich dem Buschwerk. Da hörte er die Stimme seines Lehrers heraus. Dieser sprach sehr leise, so daß Julius kein Wort der Unterhaltung verstehen konnte.

›Mit wem spricht er nur?‹ überlegte sich Julius. Er kroch noch näher heran. Rasch schob er sich in eine Lücke zwischen zwei stacheligen Ginsterbüschen. Er schob die Äste langsam und behutsam zur Seite – und entdeckte zu seinem Erstaunen Herrn Roland im Gespräch mit den beiden Malern vom »Felsenhof« – Herrn Thoma und Herrn Wilder. Georg hatte also doch recht! In dem Augenblick, als Julius sie erspähte, übergab der Lehrer Herrn Thoma ein Bündel zusammengefalteter Papiere.

›Das sieht genauso aus wie Blätter aus Onkel Quentins Buch‹, sagte sich Julius. ›Na, das ist vielleicht merkwürdig! Es riecht tatsächlich nach einer Verschwörung – und Herr Roland ist dabei die Hauptperson.‹

Herr Thoma steckte die ihm übergebenen Papiere in seine Manteltasche. Die Männer flüsterten sich noch etwas zu, was sogar des Jungen scharfe Ohren nicht auffangen konnten, und verabschiedeten sich dann. Die Maler verschwanden in Richtung »Felsenhof«, und Herr Roland schlug über den Pfad quer durch die Dorfwiese den Rückweg ein. Julius verkroch sich ganz tief in dem stacheligen Ginstergebüsch und hoffte nur, daß der Lehrer sich nicht umdrehen und ihn entdecken würde. Glücklicherweise geschah nichts dergleichen. Herr Roland ging geradeaus und verschwand im Schnee, der wie ein dichter Vorhang zur Erde fiel. Die Dunkelheit setzte ein, und Julius, der den Weg schon nicht mehr gut erkennen konnte, lief Herrn Roland nach. Er hatte Angst, sich in dem Schneegestöber zu verirren.

Der Lehrer schien ebenfalls nicht länger draußen verweilen zu wollen. Er eilte zum Felsenhaus. Julius sah, wie er das Tor erreichte und im Haus verschwand. Er ließ eine kleine Weile verstreichen, um dem Lehrer Zeit zum Ausziehen zu geben, und ging dann zur Gartentür. Im Vorbeigehen streichelte er liebevoll den armen, alten Tim in seiner Hundehütte. Dann zog er den Wettermantel aus, wechselte die Schuhe und schlüpfte ins Wohnzimmer, bevor Herr Roland aus seinem Schlafzimmer zurückgekehrt war.

»Was ist geschehen?» fragten ihn Richard und Anne, die ihrem Bruder die starke Erregung anmerkten. Aber er konnte es ihnen nicht mitteilen, da Johanna ins Zimmer kam und den Kaffeetisch deckte.

Den ganzen Nachmittag und Abend versuchte Julius vergebens, den anderen von seiner Entdeckung zu berichten, denn immer war ein Erwachsener in der Nähe. Er konnte auch nicht nach oben gehen, um Georg zu besuchen.

»Schneit es immer noch, Tante Fanny?« fragte Anne. Die Tante ging zur Haustür und schaute hinaus. Der Schnee hatte sich vor der Treppe zu großen Haufen getürmt.

»Ja«, sagte sie. »Es schneit ununterbrochen. Wenn das so weitergeht, sind wir bald vollkommen eingeschneit – wie im vorletzten Winter. Wir konnten damals fünf Tage nicht aus dem Haus. Weder der Milchmann noch der Bäcker konnten durchkommen. Glücklicherweise hatten wir genug Büchsenmilch, und ich kann selber Brot bakken. Ihr armen Kinder – ihr könnt morgen nicht nach draußen gehen – der Schnee wird zu hoch liegen.«

»Wird der ›Felsenhof‹ auch eingeschneit sein?« fragte Herr Roland.

»O ja – und noch mehr als wir«, sagte Tante Fanny. »Aber das wird seinen Bewohnern nichts ausmachen. Sie haben genug Vorräte.«

Julius überlegte, warum wohl Herr Roland diese Frage gestellt hatte. Befürchtete er, daß seine Freunde die Blätter aus Onkel Quentins Buch nicht mit der Post wegschicken – oder sie nicht durch den Omnibus oder ein Auto weiterbefördern könnten? Der Junge spürte, daß Herr Roland einen Grund für seine Frage hatte. Wann, wann endlich könnte er sich mit den andern über die Geschehnisse des heutigen Tages unterhalten?

»Ich bin müde«, sagte er, als es ungefähr acht Uhr war.

»Kommt – wir gehen ins Bett.«

Richard und Anne blickten ihn erstaunt an. Gewöhnlich ging er am spätesten von allen ins Bett, da er der älteste war. Und heute wollte er freiwillig früh schlafen gehen! Aber Julius zwinkerte ihnen zu – also mußte er seine Gründe haben.

Richard gähnte mit weitgeöffnetem Mund, und Anne tat dasselbe. Tante Fanny legte ihr Nähzeug nieder, an dem sie gerade arbeitete. »Das hört sich ja an, als ob ihr sehr müde wäret«, sagte sie. »Ich glaube, ihr geht lieber alle zu Bett.«

»Darf ich schnell noch nach Tim sehen?« fragte Julius. Seine Tante nickte. Der Junge stieg in seine Gummistiefel, zog den Mantel über und schlüpfte durch die Gartentür in den Hof. Dort war auch alles tief in Schnee gehüllt. Tims Hütte war halb eingeschneit. Der Hund hatte sich ein Plätzchen vor der Hütte flachgetrampelt und spähte nach Julius aus, als er aus dem Hause trat.

»Armer, alter Junge, ganz allein hier im Schnee?« redete er das Tier an. Er tätschelte den Hund, und Tim winselte.

Er wäre so gern mit ins Haus gegangen.

»Wenn ich dich nur mitnehmen dürfte«, sagte Julius. »Aber mach dir keine Sorgen, Tim. Ich besuche dich morgen wieder.

Julius kehrte ins Haus zurück. Die Kinder wünschten ihrer Tante und Herrn Roland eine gute Nacht und gingen nach oben.

»Zieht euch schnell aus und werft eure Morgenmäntel über. Wir treffen uns alle in Georgs Zimmer«, flüsterte Julius den anderen zu. »Macht ja keinen Lärm, sonst haben wir sofort Tante Fanny auf dem Hals. Los! – Schnell!«

Im Nu waren die Kinder ausgezogen und saßen auf Georgs Bett. Sie freute sich sehr, ihre Spielgefährten zu sehen.

Anne schlüpfte zu ihr ins Bett, weil es sie an den Füßen fror.

»Julius! Bist du Herrn Roland gefolgt?« flüsterte Georg.

»Warum hast du das getan?« fragte Richard, der vor Neugierde fast platzte.

Dann berichtete Julius in fliegender Eile – von Georgs Verdacht – wie er dem Lehrer gefolgt war – was er mit eigenen Augen gesehen hatte. Als Georg vernahm, daß

Julius beobachtet hatte, wie der Lehrer die Papiere an die beiden Maler weitergab, sprühten ihre Augen vor verhaltenem Zorn.

»Der elende Dieb! Das müssen die verlorenen Blätter gewesen sein. Und dabei ist mein Vater so freundlich zu ihm gewesen! – Was können wir tun? Die Männer werden die Papiere so schnell wie möglich loswerden wollen, und dann wird das Geheimnis, an dem Vater so lange gearbeitet hat, von jemand anderem ausgenutzt – womöglich für ein fremdes Land.«

»Sie können die Papiere jetzt nicht wegschicken«, sagte Julius. »Du kannst dir überhaupt nicht vorstellen, wie hoch der Schnee schon liegt, Georg. Wir werden einige Tage lang Gefangene spielen müssen, wenn es so weiterschneit – und auf dem ›Felsenhof‹ sieht es genauso aus. Wenn sie die Papiere verstecken wollen, bleibt nur das Bauernhaus dafür übrig. Wenn wir nur hinüber könnten. Wir würden alles durchsuchen!«

»Aber es geht eben nicht«, sagte Richard. »Das steht nun einmal fest. Wir würden bis zum Halse im Schnee steckenbleiben.«

Anne konnte es noch immer nicht glauben, daß der lustige Roland ein Dieb war – vielleicht sogar ein Spion, der versuchte, ein wichtiges Geheimnis dem gutmütigen Gelehrten zu rauben.

»Es wird wohl das beste sein – wir erzählen alles deinem Vater«, meinte Julius schließlich.

»Nein«, widersprach Anne hellsichtig. »Er würde es nicht glauben, nicht wahr, Georg?«

»Er würde uns sogar auslachen und auf der Stelle zu Herrn Roland gehen und ihm alles erzählen«, stimmte ihr Georg bei. »Das würde den Schuft warnen – und das darf auf keinen Fall geschehen. Er darf nicht ahnen, daß wir alles wissen.«

»Pst! Tante Fanny kommt!« flüsterte Richard plötzlich. Die Jungen schlüpften aus dem Zimmer und in ihre Betten. Anne stieg in ihr eigenes Bettchen. Alles war friedlich und still, als die Tante ins Schlafzimmer trat.

Sie sagte gute Nacht und deckte die Kinder fest zu. Sobald sie gegangen war, trafen sich die vier wieder im Schlafzimmer bei Georg.

»Georg, nun erzähl mal, was du über den Geheimgang weißt«, sagte Julius.

»Das will ich gern tun«, sagte Georg. »Vielleicht steckt weiter gar nichts hinter meiner Vermutung – aber unten im Studierzimmer sind acht Felder in der Täfelung über dem Kaminsims – und der Boden ist von Stein – und der Raum liegt nach Osten. Das ist doch seltsam, nicht wahr? Alles genau so, wie es in der Anweisung steht.«

»Steht auch ein Schrank in dem Zimmer?« fragte Julius.

»Nein. – Aber alles andere stimmt mit den Anweisungen überein. Und ich habe mir überlegt, ob es nicht möglich sein könnte, daß der Eingang zu dem Geheimweg hier im Felsenhaus ist – und nicht im Bauernhaus. Beide Gebäude haben doch einst einer Familie gehört, weißt du. Die Leute, die vor langer Zeit im Bauernhaus wohnten, müssen auch dieses Haus hier ganz genau gekannt haben.«

»Menschenskind, Georg – stell dir nur vor, wenn der Eingang *wirklich* hier wäre!« sagte Richard. »Wäre das nicht phantastisch? Komm, wir wollen gleich hinuntergehen und uns vergewissern.«

»Sei nicht so dämlich«, wies ihn Julius zurecht. »Ausgerechnet dann ins Studierzimmer gehen, wenn Onkel Quentin drin ist! Ich möchte lieber ganz allein zwanzig Löwen gegenüberstehen als Onkel Quentin! Besonders nach alldem, was geschehen ist.«

»Aber wir *müssen* herausbekommen, ob Georg recht hat oder nicht, wir müssen einfach!« rief Richard und vergaß ganz, daß er eigentlich flüstern sollte.

»Halt den Mund, du Idiot«, zischte Julius ärgerlich und gab ihm einen Rippenstoß. »Soll denn das ganze Haus wach werden?«

»Verzeihung!« Richard zog den Kopf ein. »Aber es ist so wahnsinnig spannend. Es ist wieder ein Abenteuer.«

»Eben das habe ich gesagt», meinte Georg aufgeregt. »Hört zu – sollen wir bis Mitternacht warten und dann, wenn alles eingeschlafen ist, ins Studierzimmer schleichen und unser Glück versuchen? Vielleicht ist mein Gedanke vollkommen sinnlos – aber das müssen wir eben herausfinden. Ich könnte nicht einschlafen, bevor ich nicht die Felder über dem Kaminsims abgetastet habe.«

»Mir geht es genauso«, sagte Richard. »Horcht, kommt da nicht jemand die Treppe herauf? Ich glaube, wir gehen lieber. – Nun komm schon, Julius! Wir treffen uns also um Mitternacht und schleichen uns hinunter, um Georgs Idee auszuprobieren.«

Die beiden Jungen gingen in ihr Zimmer zurück. Sie konnten nicht einschlafen. Georg lag ebenfalls hellwach im Bett und ließ alles, was in den Ferien geschehen war, sich noch einmal durch den Kopf gehen.

›Es ist wie ein Legespiel‹, dachte sie. ›Zuerst konnte ich eine ganze Menge nicht verstehen – aber nun fügen sich alle Teilchen zu einem Bild zusammen.‹

Anne schlief ganz fest. Als es Mitternacht war, mußten die anderen sie aufwecken. »Komm«, flüsterte Julius und schüttelte sie. »Willst du dieses Abenteuer nicht miterleben?«

XIV

Der Geheimgang – Endlich

Die vier Kinder schlichen durch die dunkle und stille Nacht nach unten. Keiner machte auch nur das leiseste Geräusch. Sie fanden den Weg zum Studierzimmer. Georg schloß die Tür leise hinter ihnen und drehte das Licht an. Sie blickten auf die acht Felder über dem Kaminsims. Ja, es waren genau acht, vier in der unteren und vier in der oberen Reihe. Julius rollte den Leinwandstreifen auf dem Tisch auseinander, und die Kinder vertieften sich darein.

»Das Kreuz ist mitten in dem zweiten Feld in der oberen Reihe«, sagte Julius mit leiser Stimme. »Ich werde einmal draufdrücken. Ihr müßt aufpassen.«

Er ging zum Kamin. Die anderen folgten ihm, und ihre Herzen klopften vor Spannung. Julius stellte sich auf die Zehenspitzen und preßte seine Hand gegen die Mitte des zweiten Feldes. Es geschah nichts.

»Drück fester! Klopf das Feld doch ab«, ermunterte ihn Richard.

»Ich will nicht soviel Krach machen«, flüsterte Julius und betastete das Feld an allen Ecken und Enden, um zu sehen, ob er eine kleine gewölbte Stelle finden könnte, die ihnen verraten würde, daß eine Feder oder ein Hebel dort verborgen sei. Plötzlich glitt das Feld unter seinen Händen zurück, ähnlich wie jenes auf dem »Felsenhof« in der Halle. Die Kinder schauten voll Spannung auf die Höhlung dahinter.

»Sie ist nicht groß genug, um hineinzuklettern«, sagte Georg.

»Also kann es nicht der Zugang zu dem Geheimweg sein.«

Julius holte seine Taschenlampe hervor.

»Hier ist ein Griff, und daran hängt ein dicker Draht oder so etwas Ähnliches. Ich werde mal daran ziehen.«

Er zog – aber ihm fehlte die Kraft, um den Hebel zu bewegen, der in die Wand eingemauert zu sein schien. Richard steckte seine Hand auch hinein, und die beiden Jungen zogen mit vereinten Kräften.

»Es bewegt sich! – Es gibt etwas nach«, keuchte Julius.

Der Griff trat plötzlich aus der Wand und mit ihm der starke und rostige Draht. Zu gleicher Zeit vernahmen sie ein merkwürdiges kratzendes Geräusch unter der Matte vor dem Kamin. Anne fiel beinahe hin.

»Julius! Da bewegt sich etwas unter der Matte«, sagte sie erschrocken. »Ich habe es gespürt. Schnell! Hier – unter der Matte!«

Der Hebel ließ sich nicht weiter herausziehen. Die Jungen blickten nach unten. Rechts vom Kamin, unter der Matte, hatte sich tatsächlich etwas bewegt. Daran war nicht zu zweifeln. Die Matte wölbte sich in der Mitte, anstatt flach und ausgestreckt zu liegen.

»Ein Stein im Fußboden hat sich bewegt«, erklärte Julius, und seine Stimme zitterte vor Aufregung. »Dieser Griff setzt einen Hebel in Bewegung, der mit dem Draht verbunden ist. Schnell – schlagt die Matte zurück und rollt den Teppich zusammen.«

Mit zitternden Händen zerrten die Kinder die Matte und den Teppich weg – und dann standen sie da und starrten mit weitgeöffneten Augen auf den Boden. Ein großer, flacher Stein, der einen Teil des Fußbodens bildete, war auf geheimnisvolle Weise durch den Draht, der an dem Griff befestigt war, in Bewegung gesetzt worden und nach unten geglitten. An Stelle des Steines war ein großes, dunkles Loch zu sehen.

»Das ist er!« stieß Georg erregt hervor. »Der Zugang zum Geheimweg!«

»Er ist also doch hier«, bemerkte Julius wenig geistreich.

»Kommt, wir steigen gleich hinunter«, drängte Richard.

Aber Anne schüttelte es bei dem Gedanken, daß sie in dem dunklen Loch verschwinden sollte.

Julius leuchtete mit seiner Lampe in den finsteren Raum.

Der Stein war erst nach unten und dann zur Seite gerutscht. Darunter war gerade genug Platz, um einen Mann in gebückter Haltung aufzunehmen.

»Von hier führt bestimmt ein Gang oder etwas Ähnliches unter dem Haus nach draußen«, sagte Julius. »Himmel – wo er nur hinführen mag?«

»Wir müssen es herausbekommen«, sagte Georg.

»Aber nicht jetzt«, sah auch Richard ein. »Es ist dunkel und kalt. Ich verspüre keine besondere Lust, um Mitternacht in dem geheimen Gang zu lustwandeln. Es macht mir zwar nichts aus, nachzusehen, was unten vor sich geht – aber mit dem Spaziergang durch den Stollen warten wir doch lieber bis morgen.«

»Onkel Quentin wird sicher morgen hier in seinem Zimmer arbeiten«, wandte Julius ein.

»Nein – er wird wahrscheinlich erst am Morgen den Schnee vor der Haustür wegschaufeln, das macht er immer so«, sagte Georg. »Dann könnten wir ins Studierzimmer schleichen. Morgen ist Samstag. Vielleicht haben wir keinen Unterricht.«

»Also gut«, willigte schließlich Julius ein, der lieber gern gleich alles an Ort und Stelle untersucht hätte. »Aber laßt mich wenigstens nachsehen, ob überhaupt ein Gang vorhanden ist. Wir wissen bisher nur, daß sich dort unten ein Loch befindet.«

»Ich werde dir hinunterhelfen«, sagte Richard. Er reichte seinem Bruder die Hand, und Julius ließ sich gewandt in den schwarzen Hohlraum fallen. Er leuchtete mit seiner Taschenlampe die Wände ab. Dann stieß er einen unterdrückten Schrei aus.

»Es ist der Zugang zum Geheimweg! Ein Gang führt von hier unter dem Haus entlang – er ist zwar furchtbar

niedrig und eng – aber es ist immerhin ein Gang. Ich bin gespannt, wo er hinführt.«

Er zitterte am ganzen Körper. Es war kalt und feucht dort unten. »Hilf mir doch, Richard«, rief er. Er kletterte aus dem Loch ins warme Studierzimmer herauf.

Die Kinder sahen einander erfreut und aufgeregt an.

Das war ein richtiges Abenteuer. Zu schade, daß sie jetzt nicht weiter auf Entdeckungsfahrt gehen konnten!

»Wir wollen versuchen, Tim morgen mitzunehmen«, sagte Georg. »Wartet – wie wollen wir den Eingang verschließen?«

»Wir können die Matte und den Teppich nicht einfach so über dem Loch liegenlassen«, sagte Richard. »Und das Feld in der Täfelung können wir auch nicht offenlassen.«

»Soll ich versuchen, den Stein wieder an die alte Stelle zu rücken?« fragte Julius. Er stellte sich auf die Zehenspitzen und tastete die Wand hinter der Täfelung ab. Seine Finger schlossen sich um einen Knopf, der tief im Stein drin saß. Er zog daran, und der Griff rutschte an seine alte Stelle zurück. Gleichzeitig glitt der gesunkene Stein wieder an die Oberfläche des Fußbodens.

»Das ist ja fast Zauberei!« sagte Richard. »Wirklich. Wer hätte gedacht, daß der Mechanismus noch so reibungslos arbeitet, nachdem er jahrzehnte- oder gar jahrhundertelang nicht benutzt worden ist! Das ist die spannendste Sache, die ich jemals gesehen habe.«

Sie hörten ein Geräusch aus dem Schlafzimmer über ihren Köpfen. Die Kinder standen still und lauschten.

»Das ist Herr Roland«, flüsterte Richard. »Er hat uns gehört. Schnell – schleicht die Treppe hinauf, bevor er herunterkommt.« Sie drehten das Licht aus und öffneten ganz leise die Studierzimmertür. Geräuschlos wie Indianer flüchteten sie die Stufen hoch. Ihre Herzen klopften so wild, daß sie fürchteten, das ganze Haus wache davon auf. Die Mädchen erreichten sicher ihre Zimmer, und auch Richard konnte in letzter Minute noch die Tür hinter sich zuziehen. Aber Julius wurde von Herrn Roland erwischt, der, mit einer Taschenlampe bewaffnet, aus seinem Zimmer trat.

»Was machst du denn hier, Julius?« fragte der Lehrer

überrascht. »Hast du auch ein Geräusch unten gehört? Mir kam es so vor...«

»Ja, ich hörte einen ziemlichen Krach unten«, sagte Julius wahrheitsgemäß. »Aber vielleicht war es nur der Schnee, der vom Dach fiel, Herr Roland.«

»Ich weiß nicht«, sagte der Lehrer zweifelnd. »Wir werden uns lieber zur Vorsicht noch einmal umsehen.«

So stiegen sie nach unten, aber es war natürlich nichts zu sehen.

Julius war heilfroh, daß es ihnen in der Eile noch möglich gewesen war, das getäfelte Feld zu schließen und den Stein an seinen gewöhnlichen Platz gleiten zu lassen.

Sie gingen wieder nach oben, und Julius begab sich in sein Zimmer zurück. »Ist alles gutgegangen?« flüsterte Richard.

»Ja«, sagte Julius. »Aber wir dürfen nicht reden. Herr Roland ist wach, und ich will alles vermeiden, wodurch er Verdacht schöpfen könnte.«

Die Jungen schliefen ein. Als sie am nächsten Morgen erwachten, war die Welt in ein weißes Laken gehüllt. Alles war vollkommen von Schnee bedeckt. Tims Hundehütte war ganz und gar verschwunden, nur Fußabdrücke waren rundherum zu sehen.

Georg schrie auf, als sie sah, wie hoch der Schnee lag. »Armer Tim. Jetzt lasse ich dich aber ins Haus. Es ist mir einerlei, was die Erwachsenen sagen. Ich will nicht, daß du im Schnee begraben wirst.«

Sie zog sich an und ging nach unten. Sie lief zur Hundehütte. Sie mußte knietief im Schnee waten. Aber Tim war nicht in der Hütte.

Lautes Gebell aus der Küche ließ sie aufhorchen. Die Köchin Johanna klopfte ans Küchenfenster. »Es ist alles in Ordnung. Ich konnte es nicht länger mit ansehen, wie der Hund draußen im Schnee fast versank, und da habe ich den armen Kerl hereingeholt. Deine Mutter sagte, daß ich ihn in der Küche behalten kann, aber daß du ihn nicht besuchen darfst.«

»Oh! Gott sei Dank, Tim ist im Warmen«, sagte Georg froh. Sie rief zu Johanna hinüber: »Vielen, vielen Dank. Das ist furchtbar nett von dir.«

Georg ging wieder ins Haus und erzählte es den anderen. Sie freuten sich alle sehr darüber.

»Und ich habe auch Neuigkeiten für dich«, sagte Richard. »Herr Roland liegt mit einer schweren Erkältung zu Bett, so daß wir heute keinen Unterricht haben.«

»Himmel, das sind wirklich gute Nachrichten«, sagte Georg und wurde sichtlich heiterer. »Tim in der warmen Küche – und Herr Roland muß das Bett hüten. Ich bin glücklich.«

»Nun können wir uns ungestört auf die Entdeckungsreise begeben«, sagte Julius. »Tante Fanny will heute mit Johanna in der Küche arbeiten – und Onkel Quentin wird Schnee schippen. Ich mache den Vorschlag, daß wir freiwillig einige Aufgaben im Wohnzimmer durcharbeiten – und dann, wenn die Luft rein ist, werden wir uns den Geheimgang etwas näher ansehen.«

»Aber warum müssen wir denn arbeiten?« fragte Georg bestürzt.

»Weil wir sonst Schnee schippen müssen, du Dummkopf«, sagte Julius.

Und so schlug Julius – zum größten Erstaunen seines Onkels – vor, daß alle vier Kinder still für sich im Wohnzimmer arbeiten wollten.

»Sieh mal einer an – und ich bildete mir ein, daß es euch Spaß machen würde, mir beim Schneeschaufeln zu helfen«, sagte Onkel Quentin. »Aber vielleicht ist es doch besser, wenn ihr mit euren Schularbeiten weiterkommt.«

Die Kinder setzten sich im Wohnzimmer an den Tisch, artig wie kleine Lämmer, und steckten ihre Nasen in die Bücher. Sie hörten Herrn Roland in seinem Zimmer husten. Sie hörten auch die Tante in die Küche gehen und mit Johanna sprechen. Sie hörten Tim an der Küchentür kratzen. Dann trappelten Pfoten im Flur – und eine große, neugierige Nase kam um die Tür. Da stand plötzlich der gute Tim und sah sich ängstlich nach seiner Herrin um.

»Tim!« rief Georg erfreut und lief zu ihm. Sie schlang ihre Arme um seinen Hals und drückte den Hund an sich.

»Du tust ja, als ob du ihn ein ganzes Jahr nicht gesehen hättest«, sagte Julius.

»Es kam mir wirklich wie ein Jahr vor«, antwortete Georg. »Nein, seht nur, mein Vater schaufelt wie verrückt! Es wird allmählich Zeit, daß wir ins Studierzimmer gehen. Ich glaube, wir werden eine ganze Weile vor ihm sicher sein.«

Sie verließen das Wohnzimmer und gingen hinüber. Julius zog an dem Griff hinter dem Geheimfeld an der Täfelung. Georg hatte schon vorher die Matte und den Teppich zurückgerollt. Der Stein glitt nach unten und nach der Seite. Der Geheimgang lag offen vor ihnen!

»Kommt!« forderte Julius sie auf. »Beeilt euch!«

Er sprang als erster ins Loch hinunter. Richard folgte, dann Anne und zuletzt Georg. Julius schob sie alle in den engen, niedrigen Gang. Dann sah er auf. Vielleicht wäre es doch besser, den Teppich und die Matte über das Loch zu ziehen – für den Fall, daß jemand ins Zimmer kommt.

In einigen Sekunden war es erledigt. Dann bückte er sich und ging den anderen nach. – Jetzt war es ihnen endlich möglich, den Geheimgang zu erforschen!

XV

Eine aufregende Reise und eine gefährliche Jagd

Tim war mit Georg zusammen ins Loch gesprungen. Nun lief er vor den Kindern her und wunderte sich, warum sie gerade solch einen kalten, dunklen Ort untersuchen wollten. Julius und Richard hatten ihre Taschenlampen mitgebracht, die ihnen in der Dunkelheit gute Dienste leisteten.

Da war nicht viel zu sehen. Der Geheimgang unter dem alten Haus war eng und niedrig, so daß die Kinder gezwungen waren, im Gänsemarsch und tief gebückt zu gehen. Sie atmeten erleichtert auf, als der Weg breiter wurde und die Decke etwas höher. Es war sehr ermüdend, sich andauernd zu bücken.

»Hast du eine Ahnung, wohin der Weg führt?« fragte Richard seinen Bruder. »Ich meine – zur See oder in entgegengesetzter Richtung?«

»Oh, ganz bestimmt nicht in Richtung auf die See«, sagte Julius, der über einen sehr guten Ortssinn verfügte. »Meiner Meinung nach führt der Gang in Richtung auf die Dorfwiese. Seht euch die Wände an – an manchen Stellen sind sie ganz sandig, und es ist doch bekannt, daß die Wiese sandigen Boden hat. Hoffentlich erleben wir nicht, daß der Gang irgendwo eingefallen ist.«

Sie gingen immer weiter und tiefer in den Gang hinein. Der Geheimweg verlief sehr gerade, wenn er sich auch ab und zu in einem Bogen um einen Felsen wand.

»Hu, ist das dunkel und kalt hier unten!« rief Anne zähneklappernd. »Wenn ich doch nur meinen Mantel angezogen hätte! Wieviel Kilometer sind wir schon gelaufen, Julius?«

»Noch nicht einmal einen, du Dummchen«, antwortete Julius. »Hallo – seht her, der Gang ist an dieser Stelle etwas eingefallen.«

Die beiden Taschenlampen erhellten den Raum vor ihnen, und die Kinder sahen, daß das sandige Dach eingefallen war. Julius stieß den Sandhaufen mit dem Fuß an.

»Es ist alles in Ordnung«, sagte er. »Wir können uns leicht durcharbeiten. Es ist nicht sehr viel heruntergestürzt, und es ist außerdem zum größten Teil Sand. Ich werde ihn etwas mit dem Fuß beiseite schieben.«

Die anderen halfen, und nach einiger Zeit war genug Platz vorhanden, daß die Kinder hinüberklettern konnten. Sie beugten ihre Köpfe tief, um nicht an der Decke des Ganges anzustoßen. Im Schein seiner Taschenlampe stellte Julius fest, daß der Weg frei war.

»Hier herum ist der Weg sehr breit«, sagte er plötzlich und ließ seine Lampe noch stärker aufleuchten, um es den anderen zu zeigen.

»Es sollte hier anscheinend eine Art Vorraum geschaffen werden«, sagte Georg. »Seht her – hier ist eine Bank in den Stein gehauen. Es soll sicher ein Ruheplatz sein.«

Georg hatte recht. Es war sehr ermüdend, in dem engen Gang so lange vorwärts zu kriechen. Der kleine Raum mit der Steinbank bildete einen sehr schönen Ruheplatz. Die vier Kinder drängten sich auf dem seltsamen Sitz aneinander und genossen die hochwillkommene Rast. Tim legte seinen Kopf auf Georgs Knie. Er war außer sich vor Freude, wieder mit ihr zusammen zu sein.

»Jetzt müssen wir aber weiter«, sagte Julius nach einigen Minuten. »Mir wird furchtbar kalt. Ich bin wirklich gespannt, wo dieser Gang an die Oberfläche führt.«

»Julius – glaubst du, daß er im ›Felsenhof‹ enden könnte?« fragte Georg plötzlich. »Du weißt doch, was Frau Sanders gesagt hat – daß ein Geheimweg von dem Bauernhaus irgendwohin führt. Es könnte doch ein und derselbe Gang sein – und er führt demnach zum ›Felsenhof‹.«

»Georg, Mensch – ich glaube, du hast recht«, sagte Julius. »Ja, natürlich! Die beiden Gebäude gehörten einmal deiner Familie. Und in alten Zeiten hatten die Leute oft Geheimgänge, die zwei Häuser miteinander verbanden. Nun sehe ich ganz klar – dieser Gang verbindet das Felsenhaus mit dem Bauernhaus. Warum bin ich nur nicht schon früher darauf gekommen?«

»Hört mal zu!« ließ sich Anne mit hoher, erregter Stimme vernehmen. »Hört mal her! Mir ist eben auch etwas eingefallen.«

»Was denn?« fragten alle gleichzeitig.

»Nun – wenn die beiden Maler Onkels Papiere haben, dann können wir sie ihnen vielleicht wegnehmen, bevor sie diese mit der Post wegschicken oder selber mit sich nehmen können«, rief Anne, die der Gedanke so aufregte, daß sie ihre Worte nicht schnell genug aussprechen konnte. »Sie sind genauso gefangen wie wir, weil sie auch eingeschneit sind.«

»Anne! Du hast vollkommen recht«, sagte Julius bewundernd.

»Was für ein kluges Mädchen du doch bist!« rief Richard.

»Stellt euch nur vor, wie wunderschön es wäre, wenn es uns wirklich gelänge, die Papiere wiederzubekommen«, jubelte Georg. Tim stimmte in die allgemeine Aufregung mit ein und sprang vor Freude auf und nieder. Die Kinder freuten sich, also war es seine Pflicht, sich auch zu freuen.

»Nun kommt aber«, rief Julius und nahm Anne bei der Hand. »Jetzt wird es spannend. Wenn Georg recht hat und dieser geheime Gang irgendwo im Bauernhaus am ›Felsenhof‹ an die Oberfläche kommt, dann werden wir auf irgendeine Weise die Zimmer der beiden Männer durchsuchen und die Papiere finden können.«

»Du sagtest aber doch, daß das Durchsuchen von anderer Leute Zimmern unanständig ist«, sagte Georg.

»Als ich das sagte, wußte ich noch nicht alles, was ich jetzt weiß«, antwortete Julius. »Wir tun dies für deinen Vater – und vielleicht sogar für unser Land, wenn seine Geheimformel wertvoll ist. Wir müssen unseren Kopf anstrengen, um gefährliche Feinde zu überlisten.«

»Meinst du wirklich, daß sie gefährlich sind?« fragte Anne ängstlich.

»Ja, ich glaube schon«, meinte Julius. »Aber Richard, Tim und ich werden dich beschützen.«

»Und ich?« sagte Georg entrüstet. »Kann ich das etwa nicht? Ich bin noch lange so stark wie ein Junge.«

»Ja, das stimmt«, fügte Richard hinzu. »Meiner Meinung nach bist du viel wilder als alle Jungen, die ich kenne.«

»Nun kommt schon«, rief Julius ungeduldig. »Ich kann es kaum mehr erwarten, bis wir das Ende des Ganges erreicht haben.«

Sie gingen weiter, Anne folgte hinter Julius und Richard hinter Georg. Tim lief im Gang auf und nieder und drückte sich an ihnen vorbei, wie es ihm gefiel. Er empfand es als ein besonderes Vergnügen, einen Vormittag auf diese Art zu verbringen.

Julius hielt plötzlich an, als sie ein gutes Stück weitergekommen waren. »Was ist los?« fragte Richard von hinten. »Noch ein Deckeneinsturz? Hoffentlich nicht.«

»Nein, aber ich glaube, daß wir das Ende des Ganges

erreicht haben«, ließ sich Julius vernehmen. Die Spannung nahm immer mehr zu. Die anderen kamen so nahe wie möglich an ihn heran. Tatsächlich, der Gang hatte hier sein Ende. Vor ihnen erhob sich eine felsige Wand, in die eiserne Krampen zum Hinaufklettern eingeschlagen waren.

Als Julius mit seiner Lampe die Wand hoch leuchtete, sahen die Kinder eine quadratische Öffnung in der Decke des Ganges.

»Wir müssen jetzt diese Wand hinaufklettern«, sagte Julius, »durch das dunkle Loch dort oben – und immer weiter und weiter – der Himmel weiß, wo wir schließlich rauskommen! Ich mache den Anfang. Ihr müßt hier ruhig warten, bis ich zurückkomme und euch berichte, was ich gesehen habe.«

Der Junge nahm die Taschenlampe zwischen die Zähne und zog sich an den Krampen hinauf. Dann richtete er sich auf, kletterte durch das viereckige Loch nach oben und tastete beim Weiterklettern vorsichtig nach den Krampen. Er fühlte sich wie in einem hohen Kaminschacht. Es war kalt und roch muffig. Nach einer guten Weile erreichte er den Rand und stieg hinauf. Er nahm die Taschenlampe in die Hand und beleuchtete das unbekannte Gebiet um sich herum.

Steine, wo er nur hinsah – Steinwände – Steindecke – Steine überall. Das schwarze Loch, durch das er gekommen war, gähnte zu seinen Füßen. Julius hielt seine Lampe vor sich – und wäre vor Überraschung fast gestürzt.

Vor ihm befand sich keine Steinwand, sondern eine große hölzerne Eichentür. Ein Griff war in Hüfthöhe angebracht, und Julius drehte ihn mit zitternden Fingern.

Was würde er wohl zu sehen bekommen?

Die Tür öffnete sich nach außen, über den Schacht, und es war schwierig, hinüberzusteigen, ohne hinunterzufallen. Julius gelang es, die Tür weiter zu öffnen, er quetschte sich durch, ohne den Halt zu verlieren, und stieg hinüber. Er glaubte, sich in einem Zimmer zu befinden.

Aber seine Hand fühlte noch mehr Holz. Er leuchtete mit seiner Taschenlampe umher und fand, daß er wieder vor einer Tür stand. Unter seinen suchenden Fingern bewegte sie sich plötzlich und glitt geräuschlos seitwärts.

Und nun wußte Julius plötzlich, wo er sich befand! ›Ich bin ja in dem Schrank im Bauernhaus auf dem »Felsenhof!« – in dem Schrank mit der falschen Hinterwand‹, schoß es ihm durch den Kopf. ›Der Geheimgang findet hinter ihm sein Ende. Wie klug! Als wir in dem Schrank spielten, hatten wir keine Ahnung, daß er nicht nur eine gleitende Hinterwand besaß, sondern auch den Eingang zum Geheimweg verdeckte!‹

Gegenwärtig war der Schrank mit den Kleidungsstücken der beiden Maler angefüllt. Julius stand bewegungslos und lauschte. Er konnte nichts vernehmen. Sollte er sich gleich einmal umsehen und versuchen, ob er die verlorengegangenen Papiere nicht irgendwo entdecken konnte?

Dann aber erinnerte er sich der anderen, die ungeduldig in der Kälte auf ihn warteten. Zuerst mußte er wieder hinuntersteigen und ihnen erzählen, was geschehen war. Dann konnten sie alle kommen und ihm suchen helfen.

Er trat in den Hohlraum hinter der gleitenden Wand zurück, ließ die Wand wieder zurückfahren und stellte sich links an den schmalen Rand. Die alte Eichentür zu seiner Seite stand weit offen. Er kümmerte sich nicht länger um sie, sondern tastete mit den Füßen nach den Eisenkrampen unter sich. Dann kletterte er an Händen und Füßen hinunter, die Taschenlampe zwischen den Zähnen. –

»Julius, du hast aber lange gebraucht. Komm und erzähl uns schnell, was du entdeckt hast«, rief Georg.

»Es ist ungeheuer spannend«, sagte Julius noch außer Atem. »Einfach toll! – Was denkt ihr wohl, wo der Gang hinführt? In den Schrank mit der falschen Hinterwand auf dem ›Felsenhof‹.«

»Donnerwetter!« konnte Richard nur herausbringen.

»Hast du Töne!« stieß Georg hervor.

»Bist du in dem Zimmer gewesen?« schrie Anne aufgeregt.

»Ich kletterte so hoch wie möglich und kam an eine große Eichentür«, sagte Julius. »Diesseits der Tür befand sich ein Griff, womit ich die Tür öffnete. Dann stand ich vor einer anderen Holztür – wenigstens nahm ich an, daß es eine Tür sei – ich wußte ja nicht, daß es die Schrankwand war. Es war ganz leicht, sie zurückzuschieben, ich stieg hindurch und stand zwischen einem Haufen von Kleidungsstücken, die in dem Schrank hingen. Daraufhin eilte ich zurück, um euch zu berichten.«

»Oh, Julius, nun können wir nach den Papieren suchen«, sagte Georg eifrig. »War jemand im Zimmer?«

»Ich konnte niemanden hören«, sagte Julius. »Jetzt mache ich euch einen Vorschlag. – Wir gehen gemeinsam hinauf und durchstöbern die Zimmer. Die Männer bewohnen ja auch den anliegenden Raum.«

»Und Tim?« fragte Georg.

»Wir können ihn nicht hochtragen«, sagte Richard. »Es wird ihm doch nichts ausmachen, für kurze Zeit hier unten zu warten – nicht wahr, Tim, alter Freund?«

Tim wedelte mit dem Schwanz. Aber als er die vier

Kinder geheimnisvoll die Wand hochklettern und verschwinden sah, ließ er sofort seinen Schwanz hängen. Was! Sie gingen ohne ihn? Wie konnten sie nur?

Er sprang an der Wand hoch und fiel wieder zurück. Er wiederholte den Sprung und winselte. Georg rief ihm mit leiser Stimme zu:

»Sei ruhig, Tim, es dauert nicht lange.«

Tim legte sich am Fuß der Wand nieder und spitzte die Ohren. Dieses Abenteuer wurde immer merkwürdiger.

Bald waren die Kinder an dem schmalen Rand angekommen. Die alte Eichentür stand noch weit offen. Julius leuchtete mit seiner Taschenlampe, und die anderen erblickten die falsche Hinterwand des Schrankes. Julius ließ mit einem Griff die Wand geräuschlos zur Seite gleiten. Im Licht der Lampe sahen sie Mäntel und Morgenröcke.

Die Kinder standen ganz still und lauschten. Sie konnten nichts hören. »Ich werde die Schranktür öffnen und in das Zimmer spähen«, flüsterte Julius.

Der Junge drückte sich durch die Kleidungsstücke und tastete mit der Hand nach der äußeren Schranktür. Er fand sie und drückte sachte dagegen. Sie öffnete sich ein wenig, und ein Lichtstrahl fiel in den Schrank. Er lugte vorsichtig ins Zimmer.

Es war niemand darin. »In Ordnung. Kommt!« flüsterte er den anderen zu. »Das Zimmer ist leer.«

Die Kinder krochen eins nach dem anderen aus dem Kleiderschrank heraus ins Zimmer.

»Sieh, Julius, da ist eine Tür zu dem anderen Zimmer«, sagte Georg plötzlich. »Zwei können hinübergehen und sich dort umsehen. Und wir können die Türen abschließen, die auf den Vorplatz hinausgehen, dann kann uns niemand überraschen.«

»Ein guter Gedanke«, lobte Julius, der fürchtete, daß jeden Augenblick jemand auftauchen könnte. »Anne und ich werden ins andere Zimmer gehen, und ihr bleibt hier, um dieses Zimmer zu durchsuchen.«

Lautlos schlüpfte der Junge durch die Zwischentür in den zweiten Raum, der dem ersten sehr ähnlich sah. Er war ebenfalls leer. Julius näherte sich der Tür, die auf den Vorplatz führte, und drehte den Schlüssel im Schloß. Er hörte, wie Richard dasselbe tat.

»Anne, nimm die Matten hoch und sieh nach, ob die Blätter darunter versteckt sind«, sagte er. »Dann sieh unter dem Stuhlkissen nach und zieh das Bett ab. Vielleicht liegt dort etwas versteckt.«

Anne und Julius begannen die Suche. Julius öffnete die Kommode. Die Hände der Kinder zitterten, als sie überall nach den Papieren tasteten. Es war sehr aufregend.

Sie überlegten sich, wo die beiden Männer wohl sein könnten. Vielleicht unten in der Küche. Hier oben in den Schlafzimmern war es kalt, und sie würden die Wärme nicht gern verlassen wollen. Ausgehen konnten sie nicht, denn der Schnee lag wie ein riesiger Wall um das Haus.

Richard und Georg suchten fieberhaft im anderen Zimmer. Sie durchstöberten jede Schublade. Sie zogen das Bett ab. Sie drehten die Matten und Teppiche um und um. Sie tasteten sogar den Kamin ab.

»Julius, habt ihr etwas gefunden?« fragte Richard leise und erschien in der Tür zwischen den beiden Räumen. »Nicht die geringste Spur«, sagte Julius enttäuscht. »Sie haben die Papiere wirklich gut versteckt. Hoffentlich tragen sie sie nicht bei sich in ihren Taschen oder sonstwo.«

Richard starrte ihn bestürzt an. Daran hatte er nicht gedacht. »Das wäre zum Verrücktwerden!« sagte er.

Anne und Julius suchten fieberhaft weiter. Keine Stelle blieb verschont.

»Wir können nicht ohne die Unterlagen zurück!« sagte Julius verzweifelt. »Wir haben so ein Glück gehabt, daß wir den Geheimgang gefunden haben und in diese beiden Zimmer gelangen konnten! Wir *müssen* die Papiere einfach finden.«

»Horcht!« sagte Richard und erschien wieder in der Tür. »Ich höre Stimmen. Horcht!«

Alle vier Kinder lauschten. Ja – es waren Männerstimmen dicht vor den Schlafzimmertüren!

XVI

Die Kinder werden entdeckt

»Was wollen wir tun?« flüsterte Georg. Sie waren alle auf Zehenspitzen in den ersten Raum gegangen und standen jetzt lauschend beieinander.

»Ich glaube, wir gehen lieber wieder in den Geheimgang zurück«, sagte Julius.

»O nein, wir...«, begann Georg, hielt sich aber schnell die Hand vor den Mund, als sie die Türklinke sich bewegen sah. Sie hörten einen unwilligen Ausruf und dann Herrn Wilders Stimme: »Thoma! Meine Tür scheint sich festgeklemmt zu haben. Darf ich durch dein Schlafzimmer gehen und nachsehen, was mit der Klinke los ist?«

»Geh nur«, antwortete der andere. Sie hörten, wie sich Schritte der anderen Tür näherten. Dann wurde die Klinke heftig heruntergedrückt und geschüttelt.

»Was soll denn das?« sagte Herr Wilder ärgerlich. »Die geht auch nicht auf. Sind die Türen etwa abgeschlossen?«

»Es scheint so«, hörte man Herrn Thoma sagen. Dann war es still. Jetzt vernahmen die Kinder ganz deutlich die leise gesprochenen Worte. »Sind die Papiere sicher? Ist jemand hinter ihnen her?«

»Sie sind doch in deinem Zimmer, nicht wahr?« sagte Herr Thoma. Danach war es wieder still. Die Kinder sahen einander an. Die Männer *hatten* also die Papiere – und was noch wichtiger war, sie waren in dem bewußten Zimmer. Gerade in dem Zimmer, in welchem sie augenblicklich standen! Sie sahen sich eifrig um und zermarterten sich den Kopf, wo wohl noch eine Stelle sein könnte, die sie noch nicht durchsucht hatten.

»Schnell! Sucht noch einmal alles durch, solange wir noch Zeit haben«, flüsterte Julius. »Aber macht keinen Krach.«

Auf Zehenspitzen begannen die Kinder ihre Jagd von vorne. Und *wie* sie suchten! Sie öffneten sogar die Seiten in den Büchern, die auf dem Tisch lagen, und hofften, darin etwas zu finden. Aber sie konnten nichts entdecken.

»He! Frau Sanders!« hörten sie Herrn Wilders Stimme. »Haben Sie zufällig diese Türen abgeschlossen? Wir können nicht hinein.«

»Ach, du liebe Güte!« sagte die alte Frau von der Treppe her. »Ich komme schon und werde mal nachsehen. Aber *ich* habe die Türen ganz bestimmt nicht abgeschlossen.«

Die Klinken wurden wieder heruntergedrückt, aber die Türen ließen sich nicht öffnen. Die Männer wurden ungeduldig.

»Glauben Sie, daß jemand in unseren Räumen ist?« fragte Herr Wilder die alte Frau. – Frau Sanders lachte herzhaft.

»Na, hören Sie mal, Herr Wilder, wer sollte schon in Ihren Zimmern sein? Außer Ihnen sind nur mein Mann und ich im Haus, und Sie wissen so gut wie wir, daß von draußen niemand hereinkommen kann, weil wir vollkommen eingeschneit sind. Aber ich kann das auch nicht verstehen. – Vielleicht sind die Türen von alleine ins Schloß gefallen.«

Anne hob gerade den Waschkrug hoch, um darunter nachzusehen. Er war schwerer, als sie dachte. Sie mußte ihn plötzlich wieder hinstellen, dabei schlug er klirrend auf die Marmorplatte auf, und das Wasser spritzte nach allen Seiten.

Die Männer vor der Tür hatten das Geräusch gehört.

Herr Wilder klopfte an die Tür und rüttelte an der Klinke.

»Wer ist da drin? Laßt uns sofort hinein, oder es ergeht euch schlecht! Was habt ihr da drinnen zu suchen?«

»Anne, du Idiot«, zischte Richard. »Jetzt werden sie die Tür einschlagen.«

Er hatte richtig vermutet. Der Gedanke, daß jemand auf geheimnisvolle Art in ihr Zimmer gekommen war und nach den gestohlenen Papieren suchte, machte sie beinahe rasend. Sie drückten mit den Schultern gegen die Tür und warfen sich dagegen. Die Tür erzitterte und krachte in den Angeln.

»Was fällt Ihnen denn ein?« schrie Frau Sanders. Die Männer beachteten sie nicht. Es gab einen lauten Krach, als sie sich noch fester gegen die Tür stemmten.

»Jetzt aber schnell. Wir müssen gehen«, sagte Julius. »Die Männer dürfen nicht wissen, daß wir hier waren – oder wir können nicht wiederkommen und noch einmal alles durchsuchen. Anne, Richard und Georg, schnell in den Schrank!« Die Kinder eilten auf den Kleiderschrank zu.

»Laßt mich zuerst hinein, dann kann ich euch besser helfen«, sagte Julius. Er stellte sich auf den schmalen Rand und fand die eisernen Krampen mit seinen Füßen. Mit der Taschenlampe zwischen den Zähnen stieg er hinunter.

»Als nächste Anne«, rief er hinauf, »und dann Richard. Du kannst Anne etwas helfen, wenn sie nicht weiter kann. Georg kann sehr gut klettern – sie braucht keine Hilfe.«

Anne kam nur langsam vorwärts. Sie war schrecklich aufgeregt und verängstigt und hatte außerdem Angst, hinunterzustürzen, daß sie es kaum wagte, ihre Füße beim Hinuntersteigen auf die Eisenkrampen aufzusetzen.

»Nun mach schon, Anne!« flüsterte Richard über ihr. »Die Männer haben die Tür nahezu aufgebrochen.«

Ein unheimlicher Krach kam aus der Richtung der Schlafzimmertür. Jeden Augenblick mußte sie einstürzen und die Männer wie zwei wütende Bullen hereingestürzt kommen. Richard war froh, daß er endlich die Wand hinunterklettern konnte. Sobald sie alle unten waren, konnte Georg die große Eichentür schließen, und sie waren in Sicherheit.

Georg stand zwischen den Kleidungsstücken und wartete, bis die Reihe an sie kam. Als sie so dort stand und noch einmal an die verschiedenen Verstecke dachte, fühlten ihre Hände plötzlich etwas in der Tasche des Mantels, an welchen sie gelehnt stand. Es war ein Wettermantel mit großen Taschen. Georgs Herz stand für einen Augenblick still.

Könnte es möglich sein, daß die Papiere noch in dem Mantel waren, den der Mann anhatte, als er die Blätter von Herrn Roland übernahm? Dies war der einzige Ort, den sie nicht durchsucht hatten. – Mit zitternden Fingern fühlte das kleine Mädchen nach dem raschelnden Gegenstand.

Sie zog ein Bündel Papier heraus! Es war dunkel im Schrank, und sie konnte sich nicht vergewissern, ob es die gesuchten Papiere waren – aber sie hoffte es von ganzem Herzen! Sie steckte sie vorne in ihren Pullover und flüsterte Richard zu: »Kann ich jetzt kommen?«

Krachbum! Die Tür stürzte mit einem Riesenkrach ein, und die beiden Männer sprangen ins Zimmer. Sie sahen sich um. Der Raum war leer! Aber dort, wo die Waschschüssel stand, war Wasser verschüttet und lief über den Fußboden. Es mußte also doch jemand hier gewesen sein!

»Schau in den Schrank«, rief Herr Thoma. Georg kroch aus den Kleidungsstücken auf den schmalen Rand, jenseits der Stelle, wo die falsche Schrankwand sich zuerst befunden hatte. Sie war noch in der Wand versteckt. Das kleine Mädchen kletterte einige Krampen weit in das Loch hinunter und schloß dann die Eichentür, die gerade über ihrem Kopf aus der Wand ragte. Ihre Kraft reichte nicht mehr dazu aus, die Tür vollkommen zu schließen; dennoch hoffte sie, daß sie nun alle in Sicherheit wären.

Die Männer gingen auf den Kleiderschrank zu und tasteten die Kleidungsstücke ab, um zu sehen, wer sich darin verborgen halten könnte. Herr Wilder stieß einen Schrei aus.

»Die Papiere sind verschwunden! Sie waren hier in dieser Tasche! Jetzt sind sie weg! – Schnell, Thoma, wir müssen den Dieb finden und die Papiere zurückbekommen.«

Die Männer bemerkten nicht, daß der Schrank tiefer war als gewöhnlich. Sie gaben die Suche hier auf, da sie sicher waren, daß niemand darin versteckt war, und durchsuchten das Zimmer.

Zu dieser Zeit waren alle Kinder außer Georg unten auf dem Boden des Loches angekommen und standen nun ungeduldig wartend im Geheimgang. Die arme Georg hatte es so eilig hinunterzusteigen, daß sich ihr Rock in einer der Krampen verfing und sie in einer sehr gefährlichen Stellung verharren mußte, während sie versuchte, den Rock loszubekommen.

»Um Himmels willen, komm bloß, Georg!« rief Julius. Tim sprang an der Wand hoch. Der Hund spürte die Furcht und die Erregung der wartenden Kinder und war ebenfalls sehr aufgeregt. Er wollte zu Georg. Warum kam sie nicht? Sie wußte gar nicht, wie unglücklich sie Tim dadurch machte!

Er warf seinen Kopf zurück und gab ein solches Geheul von sich, daß die Kinder vor Schreck beinahe an die Decke sprangen.

»Halt die Schnauze, Tim!« sagte Julius.

Tim heulte noch einmal, und der geisterhafte Laut

hallte seltsam in dem alten Gang wider. Anne war tief erschrocken und begann zu weinen. Tim heulte und heulte immer lauter. Wenn er einmal angefangen hatte, war es schwierig, ihn zu beruhigen.

Oben im Schlafzimmer hörten die beiden Männer den unheimlichen Lärm. Sie waren vor Staunen wie gebannt.

»Was in aller Welt ist das?« sagte der eine.

»Es hört sich an, als ob ein Hund in der Tiefe der Erde heult«, meinte der andere.

»Merkwürdig«, sagte Herr Wilder. »Es scheint aus der Richtung des großen Schrankes zu kommen.«

Er ging zu dem Schrank und öffnete ihn. Tim wählte ausgerechnet diesen Augenblick, um ein besonders trauriges Geheul auszustoßen, und Herr Wilder sprang vor Entsetzen in die Höhe. Er stieg vollends in den Schrank und tastete an der Rückwand entlang, die Eichentür wich zurück, und er fühlte die Öffnung.

»Thoma! Hier ist etwas außerordentlich Merkwürdiges«, rief er dem anderen zu. »Hol mir meine Taschenlampe vom Tisch!«

Tim heulte wieder, und Herrn Wilder lief ein Schauer über den Rücken. Tim heulte wie der Satan selber. Es hallte wider, und das Echo klang aus dem Loch dumpf in den Schrank. Herr Thoma brachte die Lampe. Die Männer leuchteten zwischen die Kleider. Plötzlich ließen sie einen überraschten Ausruf hören.

»Sieh dir das mal an! Hier ist ja eine Tür. Wohin führt sie?«

Frau Sanders, die jede ihrer Bewegungen mit Überraschung und Entrüstung beobachtet hatte und ärgerlich war, daß die Maler ihre Tür zertrümmert hatten, näherte sich dem Schrank.

»Guter Gott!« sagte sie. »Ich wußte zwar, daß der Schrank eine falsche Rückwand hatte – aber ich wußte nicht, daß noch eine Tür dahinter war. Das muß der Eingang zu dem Geheimgang sein, von dem die alten Leute immer munkelten.«

»Wohin führt er?« stieß Herr Wilder hervor.

»Das weiß der Himmel«, sagte Frau Sanders. »Ich habe mich niemals um derartige Dinge gekümmert.«

»Komm, Thoma, wir müssen hinunter«, sagte Herr Wilder und leuchtete mit seiner Taschenlampe in das viereckige dunkle Loch. Er entdeckte die Eisenkrampen in der Felswand. »Das ist der Weg, den der Dieb genommen hat. Er kann nicht weit gekommen sein. Auf, ihm nach! Wir müssen die Papiere wiederhaben.«

Es dauerte nicht lange, bis die beiden Männer sich über den schmalen Rand und in das Loch geschwungen hatten. Schnell und leise Verwünschungen murmelnd, stiegen sie hinein. Kein Laut war von unten zu hören. Der Dieb mußte ihnen entwischt sein!

Georg war als letzte hinuntergekommen. Tim warf sie beinahe um vor Freude, als er sie entdeckte. Sie legte ihre Hand auf seinen Kopf.

»Du alter Affe!« sagte sie. »Ich glaube, du hast unser Geheimnis verraten! Schnell! Nichts wie fort von hier – denn die Männer werden in Sekundenschnelle hinter uns her sein. Dein Geheul war gut zu hören.«

Julius nahm Anne bei der Hand. »Komm, Anne«, sagte er, »du mußt laufen, so schnell du kannst. Beeil dich. Richard, halte dich zu Georg.«

Alle vier eilten den dunklen, engen Gang entlang. Was für ein langer Heimweg war das! Wenn nur der Gang nicht so lang wäre! Das Herz schlug ihnen heftig, als sie stolpernd dahineilten.

Julius beleuchtete den Weg mit seiner Lampe, während Richard seine Taschenlampe von hinten durch ihre Beine scheinen ließ. Julius rannte vorwärts, Anne halb an der Hand führend, halb sie tragend. Hinter sich hörten sie jemanden rufen.

»Sieh, da vorne ist ein Licht. Das ist der Dieb. Komm! Wir haben ihn gleich!«

XVII

Guter, alter Tim!

»Schnell, Anne, schnell«, rief Richard, der ihnen auf den Fersen folgte.

Von Julius gezogen und von Richard geschoben, wäre sie beinahe einige Male gefallen. Sie atmete in laut keuchenden Stößen und glaubte, jeden Augenblick zerspringen zu müssen.

»Ich muß ausruhen«, stöhnte sie. Aber dazu war wirklich keine Zeit, jetzt, da sie von den beiden Männern gejagt wurden. Sie erreichten die Stelle, an welcher der Gang etwas breiter wurde und wo die Steinbank stand. Anne sah die Bank sehnsüchtig an, aber die Jungen trieben sie weiter.

Plötzlich blieb das kleine Mädchen mit ihrem Fuß an einem Stein hängen und stürzte schwer zu Boden, im Fallen Julius und Richard beinahe mit sich ziehend. Sie versuchte aufzustehen und fing an zu weinen.

»Au, ich habe mich am Fuß verletzt! Au, au, Julius, das Gehen tut mir so weh.«

»Du mußt aber mitkommen«, sagte Julius, dem seine kleine Schwester leid tat. Er war sich vollkommen klar darüber, daß sie alle erwischt würden, wenn er jetzt nicht fest blieb. »Geh, bitte, so schnell, wie es dir irgend möglich ist.«

Aber es erwies sich als unmöglich. Sie weinte vor Schmerzen, weil ihr der Fuß so weh tat, und sie humpelte so langsam weiter, daß Richard beinahe über sie fiel. Richard warf einen Blick hinter sich und sah den Lichtstrahl der Taschenlampe, die die beiden Männer mit sich führten, näher und näher kommen. Was sollten sie nur tun?

»Ich werde mit Tim hierbleiben und die Männer aufhalten«, schlug Julius plötzlich vor. »Ich bin der älteste. Du mußt weiter, Georg, so schnell du kannst. Du hast die Papiere deines Vaters.«

Georg wollte widersprechen, aber Julius schob sie weiter. »Lauf«, keuchte er, »lauf! Das Wichtigste ist die Formel. Sag Tim, daß er hierbleibt. Ich werde hinter dem Felsvorsprung warten, und Tim werde ich sagen, daß er wie verrückt bellen soll.«

»Und wenn die Männer Revolver haben?« sagte Richard zweifelnd. »Am Ende erschießen sie ihn.«

»Ich wette, daß sie keine bei sich haben«, sagte Julius. »Das ging alles viel zu schnell. Jetzt verschwinde endlich, Richard, die Männer sind gleich hier. Siehst du das Licht dort vorne?«

Richard raste hinter der stolpernden Anne her. Georg war schon weit vorne. Sie ahnte den Weg mehr, als daß sie ihn sah.

Julius versteckte sich hinter dem Felsen und hielt Tim fest am Halsband. »Jetzt los, Tim!« flüsterte er.

Tim hatte bis jetzt geknurrt, aber bei Julius' Befehl bellte er los. Und wie er bellte! Er hatte eine mächtige Stimme, und das Gebell hallte an den Wänden des Ganges wider. Die voranstürmenden Männer, die beinahe am Felsen angelangt waren, hielten in vollem Lauf an.

»Wenn ihr hier um diese Ecke kommt, werde ich meinen Hund auf euch hetzen!« schrie Julius drohend.

»Das ist doch nur ein Kind, das uns bedroht«, sagte der eine Mann zum anderen. »Nur ein Kind. Komm weiter!«

Tim bellte noch einmal und riß an seinem Halsband. Er sehnte sich danach, die Männer anzufallen. Das Licht ihrer Taschenlampe fiel um die Ecke. Julius ließ Tim los, und der große Hund sprang mit einem gewaltigen Satz seinen Feinden entgegen.

Mitten in ihrem Lampenlicht sahen sie ihn plötzlich! Er sah schreckenerregend aus! Tim war ohnehin ein großer Hund, aber jetzt, da er wütend war und ihm alle Rückenhaare zu Berge standen, erschien er noch riesenhafter. Er fletschte seine Zähne.

Die Männer fühlten sich beim Anblick des gereizten Hundes nicht besonders wohl. »Wenn ihr auch nur einen Schritt weitergeht, dann befehle ich meinem Hund, euch anzufallen!« rief Julius. »Warte, Tim, noch nicht! Bleib stehen, bis ich es dir befehle.«

Der Hund knurrte böse. Die Männer sahen ihn zweifelnd an. Der eine ging einen Schritt vorwärts. Da rief Julius: »Los, Tim, auf ihn!«

Tim sprang dem Gegner an die Kehle. Das kam völlig überraschend für den Mann, und er fiel mit einem dumpfen Schlag zu Boden. Er versuchte, den Hund von sich abzuwehren. Der andere Mann half seinem Gefährten.

»Ruf den Hund zurück, oder wir drehen ihm den Hals um!«

»Gebt lieber acht, daß er *euch* nicht am Hals packt«, sagte Julius und kam hinter dem Felsen hervor. Man sah, wie ihm die Sache Spaß machte. »Tim, zurück!«

Der Hund ließ von dem Mann ab. Er sah Julius vorwurfsvoll an, als ob er sagen wollte: »Es hat mir soviel Spaß gemacht! Warum bist du solch ein Spielverderber?«

»Wer bist du eigentlich?« fragte der Mann, der auf dem Boden lag.

»Ich habe nicht die geringste Absicht, auch nur eine Ihrer Fragen zu beantworten«, sagte Julius kurz. »Ich kann Ihnen nur raten, zum ›Felsenhof‹ zurückzukehren.

Wenn Sie es noch einmal wagen sollten, diesen Gang zu betreten, werde ich den Hund wieder auf Sie hetzen – und das nächste Mal wird er schärfer zufassen, verlassen Sie sich darauf.«

Die Männer wandten sich um und gingen auf schnellstem Wege zurück, wo sie hergekommen waren. Keiner von beiden wollte noch einmal mit Tim zu tun haben. Julius wartete, bis er das Licht der Taschenlampe nicht mehr sehen konnte, und bückte sich dann, um Tim zu streicheln.

»Du tapferer, guter Hund«, sagte er. »Du hast ja keine Ahnung, wie stolz ich auf dich bin! Nun komm! Wir wollen schnell die anderen einholen. Ich bin davon überzeugt, daß die beiden Männer irgendwann heute nacht den Gang untersuchen werden. Was werden sie wohl für einen Schreck bekommen, wenn sie merken, wo er hinführt und wer am anderen Ende wartet!«

Julius eilte im Sturmschritt das letzte Stück des Ganges entlang, und Tim sprang neben ihm her. Er hatte ja eine Taschenlampe, und so dauerte es nicht lange, bis er die anderen eingeholt hatte.

Er berichtete ihnen keuchend von den neuesten Geschehnissen, und sogar die arme, geplagte Anne mußte darüber lachen, wie Tim Herrn Wilder zu Boden geworfen hatte.

»Ach, Tim!« strahlte Georg. »Was für ein lieber, guter Kerl du bist. Es tut mir so leid, daß ich nicht sah, wie du den üblen Gesellen umgeworfen hast!«

»Wir sind angelangt«, sagte Julius, als der Gang unter dem Loch im Studierzimmer zu Ende war. »Nanu, was ist denn hier los?«

Ein heller Lichtstrahl schien in das Loch hinunter, und die Matte sowie der Teppich, die beide sorgfältig von ihnen über die Öffnung gezogen worden waren,

waren nun wieder zurückgeschlagen. Die Kinder blieben starr vor Erstaunen stehen.

Onkel Quentin und Tante Fanny standen oben, und als sie die Gesichter der Kinder heraufblicken sahen, waren sie so überrascht, daß sie beinahe ins Loch gekippt wären!

»Julius! Anne! Um Gottes willen, was macht ihr denn da unten?« rief Onkel Quentin. Er half allen herauf, und endlich waren die vier Kinder und Tim im warmen Studierzimmer. Wie herrlich das war, wieder in einem gemütlichen Zimmer zu sein! Sie setzten sich alle so nahe wie möglich ans Feuer.

»Kinder – was soll das alles heißen?« fragte Tante Fanny. Sie sah ganz blaß und besorgt aus. »Ich kam hier ins Zimmer, um Staub zu wischen, und als ich auf dieser Matte stand, schien sie unter mir nachzugeben. Als ich die Matte und den Teppich aufhob, entdeckte ich das Loch – und auch die Öffnung in der Täfelung. Und dann merkte ich, daß ihr alle verschwunden wart, und holte euren Onkel. – Was ist nur geschehen – und wohin führt das Loch?«

Georg holte die Papiere aus ihrem Pullover hervor und überreichte sie ihrem Vater. »Sind dies die fehlenden Seiten?« fragte sie.

Ihr Vater stürzte sich auf die Blätter, als ob sie ihm mehr als eine Kiste Gold bedeuteten. »Ja! Ja! Sie sind es, alle drei. – Gott sei Dank, daß ich sie wiederhabe. Es hat mich drei Jahre Zeit gekostet, sie zu vollenden – und sie enthalten das Herzstück meiner Geheimformel. Georg, wo hast du sie nur gefunden?«

»Das ist eine sehr lange Geschichte«, sagte Georg. »Julius, erzähl du, ich bin entsetzlich müde.«

Und Julius begann die Geschichte. Er ließ auch nicht die geringste Kleinigkeit aus. Er berichtete, wie Georg

Herrn Roland beim Herumschnüffeln im Studierzimmer gefunden hatte – und wie sie davon überzeugt war, daß der Lehrer Tim deshalb nicht im Hause haben wollte, weil der Hund ihn an seinem nächtlichen Vorhaben hindern konnte – wie Georg ihn mit den beiden Malern hatte sprechen sehen. Im Lauf der Erzählung zeigte sich ein immer größeres Erstaunen auf den Gesichtern von Onkel Quentin und Tante Fanny. Sie konnten es einfach nicht fassen.

Aber sie hatten den Beweis dafür! Die verlorengegangenen Papiere waren wieder sicher in ihrem Besitz. Das war wundervoll. Onkel Quentin drückte sie an sich, als ob sie ein über alles geliebtes Kind seien. Er legte sie auch nicht einen einzigen Augenblick aus der Hand.

Georg erzählte den Teil der Geschichte, in dem Tim die Männer von den fliehenden Kindern abgehalten hatte. »Siehst du, obwohl du mir Tim weggenommen und ihn nach draußen in die Kälte gesperrt hast, war er es, der uns in letzter Minute gerettet hat – und deine Papiere!« sagte Georg zu ihrem Vater und richtete ihre strahlenden blauen Augen auf ihn.

Ihr Vater sah höchst unbehaglich aus. Ihn drückte sein Gewissen, weil er Georg und Tim so schwer bestraft hatte. Sie hatten recht gehabt mit Herrn Roland – und er hatte sich geirrt!

»Armer Georg«, sagte er, »und armer Tim. Es tut mir alles furchtbar leid.«

Georg trug niemandem etwas nach, wenn zugefügtes Unrecht einmal zugegeben war. Sie lächelte ihren Vater an.

»Es ist schon gut«, sagte sie. »Aber meinst du nicht auch, daß Herr Roland schwer bestraft wird? Ich bin ja auch bestraft worden. *Er* verdient es aber bestimmt.«

»Darauf kannst du dich verlassen«, versprach ihr

Vater. »Er liegt mit einer Erkältung zu Bett. Hoffentlich hat er nichts gehört und versucht nicht auszureißen.«

»Er kann nicht«, sagte Georg. »Wir sind vollkommen eingeschneit. Du könntest aber doch die Polizei anrufen und sie auffordern, herzukommen. Ich bin davon überzeugt, daß die anderen beiden Männer versuchen werden, den Geheimgang so bald wie möglich zu untersuchen, um die Papiere zurückzubekommen. Ob wir sie wohl abfangen können, wenn sie hier ankommen?«

»Na, und ob!« meinte Onkel Quentin, während Tante Fanny aussah, als ob sie weitere aufregende Ereignisse vermeiden wollte. »Nun hört mal zu. Ihr scheint halb erfroren zu sein, außerdem seid ihr sicher hungrig, denn es ist beinahe Essenszeit. Geht ins Eßzimmer und setzt auch ans Feuer. Johanna soll euch ein gutes, warmes Mittagessen hineinbringen. Dann werden wir uns weiter darüber unterhalten, was wir tun wollen.«

Herr Roland merkte nichts von alledem. Er lag im Bett und hustete dann und wann. Georg war nach oben geschlichen und hatte seine Tür verschlossen. Sie wollte ihn nicht herumstreichen und alles hören lassen, wenn sie es verhindern konnte!

Sie genossen ihr heißes Mahl und fühlten sich danach warm und zufrieden. Es war nett, so zusammen zu sitzen und sich über ihre Abenteuer zu unterhalten und über ihr weiteres Verhalten Pläne zu schmieden.

»Ich werde selbstverständlich sofort die Polizei anrufen«, sagte Onkel Quentin. »Und heute nacht werden wir Tim ins Studierzimmer lassen, damit er den beiden Malern einen guten Empfang bereiten kann, wenn sie kommen.«

Herr Roland war sehr verärgert, als er seine Tür verschlossen fand, nachdem er sich in den Kopf gesetzt hatte, sich anzukleiden und nach unten zu gehen. Er trommelte entrüstet mit den Fäusten gegen die Tür. Georg grinste nur und ging nach oben.

Sie hatte es den drei anderen Kindern erzählt, daß sie die Tür abgeschlossen hatte.

»Was ist los, Herr Roland?« fragte sie mit höflicher Stimme. »Bist du es, Georg?« rief der Lehrer. »Kannst du mal nachsehen, was mit meiner Tür los ist? Ich kann sie nicht öffnen.«

Georg hatte den Schlüssel eingesteckt, nachdem sie die Tür zugeschlossen hatte. So antwortete sie Herrn Roland bedauernd:

»Ach, Herr Roland, es steckt ja gar kein Schlüssel im Schloß, ich kann die Tür also leider nicht aufschließen. Aber ich will nachsehen, ob ich den Schlüssel finden kann.«

Herr Roland war ärgerlich und verstört. Er konnte es nicht verstehen, warum seine Tür zugeschlossen und der Schlüssel verschwunden war. Er ahnte nicht, daß jetzt alle über ihn Bescheid wußten. Onkel Quentin lachte herzlich, als Georg nach unten ging und ihm von der verschlossenen Tür berichtete.

Am Abend gingen alle früh zu Bett, und Tim wurde ins Studierzimmer gelassen, um das Loch zu bewachen. Herr Roland wurde immer wütender und wunderte sich, warum seine Tür nicht aufgeschlossen wurde. Er hatte zwar nach Onkel Quentin gerufen, aber nur Georg war gekommen. Ihm war das ganze ein Rätsel. Georg machte die Sache natürlich Spaß. Sie befahl Tim, vor Herrn Rolands Tür zu bellen, und das verwirrte ihn noch mehr, denn soviel er wußte, durfte Georg Tim drei Tage lang nicht sehen. Merkwürdige Gedanken rasten ihm durch den Kopf.

Mitten in der Nacht weckte Tim das ganze Haus auf, indem er wie verrückt bellte. Onkel Quentin und die

Kinder eilten nach unten, von Tante Fanny und der erstaunten Johanna gefolgt. Ein lustiges Bild bot sich ihren Augen dar!

Herr Wilder und Herr Thoma duckten sich hinter die Couch im Studierzimmer. Sie wurden von Tim in Schach gehalten, der bellte, was seine Kehle hergeben wollte. Er stand neben dem Loch im Steinboden, so daß die beiden Männer nicht auf diesem Wege entfliehen konnten. Schlauer Tim! Er hatte schweigend gewartet, bis die Männer vollends ins Studierzimmer geklettert waren und sich wunderten, wo sie sich befanden – und dann war der Hund in einem Satz ans Loch gesprungen, um es zu bewachen und die Männer am Fliehen zu hindern!

»Guten Abend, Herr Wilder, guten Abend, Herr Thoma«, sagte Georg äußerst höflich. »Wollten Sie unseren Lehrer, Herr Roland, besuchen?«

»Er wohnt also hier?« sagte Herr Wilder. »Wart ihr das heute in dem Gang?«

»Ja – mit meinen Verwandten zusammen«, sagte Georg. »Wollen Sie sich etwa auch nach den Papieren erkundigen, die Sie meinem Vater gestohlen haben?«

Die beiden Männer schwiegen, sie wußten, daß sie ertappt worden waren. Herr Wilder öffnete den Mund nach einer kurzen Pause.

»Wo ist Roland?«

»Sollen wir diese Männer zu Herrn Roland führen?« fragte Julius und blinzelte Georg zu. »Es ist zwar etwas spät am Abend, aber ich glaube, er würde sich sehr freuen, sie zu sehen.«

»Ja«, sagte Onkel Quentin. »Führe sie nach oben. Tim, geh mit.«

Die beiden Männer folgten Julius nach oben. Tim blieb ihnen dicht auf den Fersen. Georg kam auch mit und grinste. Sie gab Julius den Schlüssel. Er schloß die

Tür auf, und die Männer betraten den Raum gerade in dem Augenblick, als Julius das Licht einschaltete. Herr Roland war wach und ließ einen Ruf der Überraschung hören, als er seine Freunde erblickte.

Bevor sie auch nur ein Wort sagen konnten, hatte Julius die Tür wieder abgeschlossen und Georg den Schlüssel zugeworfen.

»Ein niedlicher Sack voll Gefangener«, sagte er. »Wir werden Tim vor der Tür lassen, um sie zu bewachen.«

Sie gingen wieder zu Bett, aber für die Kinder war es sehr schwer, gleich wieder einzuschlafen.

Der nächste Tag brachte für alle eine große Überraschung. Die Polizei war gekommen! Die Polizisten hatten sich mit Skiern ausgerüstet und kamen tapfer durch den Schnee gefahren, um sich die Gefangenen anzusehen. Es herrschte große Aufregung.

»Wir können die Männer leider nicht mit uns nehmen«, sagte der Inspektor. »Wir werden ihnen Handschellen anlegen, damit sie auf keine schlechten Gedanken kommen. Bitte, halten Sie außerdem die Tür verschlossen und lassen Sie den Hund davor. Die Gauner sind dann für einige Tage sicher untergebracht.«

Nach zwei Tagen wehte ein warmer Wind vom Meer, und der Schnee schmolz so schnell, wie er gekommen war. Die Polizei nahm Herrn Roland und seine beiden Kumpane mit sich. Die Kinder begleiteten sie bis ans Tor.

»Aus ist's mit Unterricht für den Rest der Ferien«, rief Anne fröhlich.

»Und Tim wird auch nicht mehr hinausgesperrt«, sagte Georg.

»Du hattest recht, und wir haben uns geirrt, Georg«, gab Julius zu. »Du hast ihn von Anfang an nicht leiden können, nicht wahr? – Aber das war sehr gut so.«

»Sie ist eben wild und handelt rasch«, meinte Richard und drückte das Mädel plötzlich an sich. »Aber ich muß sagen, daß ich sie ganz gerne mag, wenn sie so wild ist – du nicht auch, Julius? Oh, Georg, was für phantastische Abenteuer wir mit dir erleben! Ich bin gespannt, was uns noch alles erwartet!«

Eine ganze Menge – das ist sicher.